Wolfgang Suppan
Komponieren für Amateure
Ernest Majo und die Entwicklung der Blasorchesterkomposition

ALTA MUSICA

EINE PUBLIKATION DER INTERNATIONALEN GESELLSCHAFT ZUR ERFORSCHUNG UND FÖRDERUNG DER BLASMUSIK

In Zusammenarbeit
mit der Abteilung 4 (Blas- und Schlaginstrumente)
der Hochschule für Musik und darstellende Kunst in Graz

Herausgegeben von

Wolfgang Suppan und Eugen Brixel

BAND 10

Wolfgang Suppan

Komponieren für Amateure
Ernest Majo und die Entwicklung der Blasorchesterkomposition

VERLEGT BEI HANS SCHNEIDER · TUTZING

Ernest Majo, 1986

WOLFGANG SUPPAN

Komponieren für Amateure

Ernest Majo

und die Entwicklung der Blasorchesterkomposition

VERLEGT BEI HANS SCHNEIDER · TUTZING
1987

ISBN 3 7952 0528 X

ZUM GELEIT

„Sein M... ist ein spontan reagierender, wahrhaftiger, daher ungeschliffen und mitunter beleidigend wirkender ... Mann. Naiv, derb, ja manchmal obszön, ungemein weichherzig, aber auch ungeheuerlich, wenn es um seine Musik geht, besessen, rücksichtslos, zutiefst verletzlich und zugleich unberührbar im Wissen um ihre Größe. – Es gehört zum vielleicht Berührendsten an diesem Stück, daß es bewußt macht, wie wenig M... auf seine Fassade achtet, achten kann. Wer weiß von dieser inneren Welt der Töne, in der er lebt, schafft, aufbaut, konstruiert? Er geht in ihr so auf, sie absorbiert seine Kräfte so sehr, daß er es vernachlässigen muß, sich selbst für die ‚reale‘ Welt, in die seine Existenz gestellt ist, zu konstruieren. Aber die Umwelt reagiert nur auf die Fassade, auf die Erscheinung, nicht auf die Substanz. Sie kann mit diesem fassadenlosen M... nichts anfangen, fühlt sich sogar abgestoßen, erkennt, da ihr keine Form hingestellt wird, auch nicht den Inhalt. Erst wenn die vergängliche Hülle dahin ist, sich eine unsterbliche Substanz erweist, kann die Nachwelt mit Eifer an der vernachlässigten Fassade arbeiten."[1]

M... meint in diesem Zitat Mozart, genauer: das Mozart-Bild Peter Shaffers in dessen Stück „Amadeus". Aber könnte M... auch für Majo stehen? Ich meine: bis auf den letzten Satz, ja. Nicht deshalb, weil ich Ernest Majo mit Mozart vergleichen wollte, sondern weil Äußeres, die Fassade also, und das Innere, dessen musikalische Substanz, beim Künstler vielfach so unterschiedlich zu wirken vermögen, daß das eine, das Äußere, den Zugang zum Inneren, dem Menschen in seinen Nöten, Ängsten und künstlerischen Visionen, verstellt. Wer dies nicht beachtet, wer die Substanz an dem Äußeren mißt – wie dies in unserer Gesellschaft so geläufig geworden ist, in der „Kleider die Leute machen", der vermag nicht gerecht zu urteilen.

Das klingt wie eine Entschuldigung. Soll denn das Mozart-Bild Shaffers dazu herhalten, um dieses Buch zu begründen? Ein Buch, das am Leben und Schaffen eines Komponisten, der nicht einmal in den großen Musiklexika der Gegenwart aufscheint, die Entstehung und Gewichtung des Komponierens für Blasorchester aufzeigen möchte. Ein Buch über „niedere" Musik demnach, über eine Gattung der Popularmusik, die selbst von der modischen Popularmusikforschung in Europa scheel betrachtet wird. Eine Musik zudem/allerdings, die von Hunderttausenden von Menschen gern interpretiert und von Millionen von Menschen gern gehört wird. Kompositionen, die von der ebenso bei Arnold Schönberg wie bei Paul Hindemith anzutreffenden Idee geprägt sind, daß die große Zahl der

---

[1] K. Kathrein, *Mozart bleibt immer der Stärkere. „Amadeus" von Peter Shaffer im Burgtheater*, in: Die Presse, 2. März 1981, S. 4.

Musikamateure und der Liebhabersänger nicht allein gelassen werden dürfte, daß es sich lohnen sollte, auch dafür Musikwerke bereitzustellen.

Diese „Festschrift" zum 70. Geburtstag von Ernest Majo ist Anlaß dafür, die menschliche und musikalisch-schöpferische Entfaltung eines Mannes in den Mittelpunkt einer wissenschaftlichen Untersuchung zu stellen, der Hindemiths einschlägige Mahnung ernst genommen hat und der damit im Blasmusikbereich Erfolg hat. Wer kann schon, auch von den Komponisten anderer Bereiche zeitgenössischer Musik, auf über zweihundert gedruckte Orchesterwerke verweisen! (Hätten sich in einer Bibliothek von einem Komponisten eines vergangenen Jahrhunderts so viele Schöpfungen erhalten – gleich welchen sog. „künstlerischen" Ranges: mit Sicherheit würden Musikhistoriker sich „des Falles" längst angenommen haben.) Die Darstellung vermengt Biographisches mit Autobiographischem, fragt nach den musikalischen Strukturen ebenso wie nach den psychischen Wirkungen und nach den gesellschaftlichen Gebrauchswerten der Werke, die zudem nicht isoliert von der zeitgleichen (Blas-)Orchestermusik gesehen werden können. Majo hat die jeweils neuen Möglichkeiten einer amateurgemäßen Blasmusik auszuloten verstanden (die naturgemäß hinter der jeweiligen musikalischen Avantgarde nachhinkt), er hat gleichsam den Geist einer situations- und schichtenspezifischen Blasmusik aufzunehmen gewußt – und damit seinerseits das populare Musikverständnis und Musikempfinden unserer Jahrzehnte mitgeprägt. Am Beispiel Ernest Majo läßt sich dokumentieren, wie die Verbindung zwischen einem Komponisten, seinen Interpreten und deren Publikum im Gleichgewicht zu bleiben vermag. Und zwar unter Beachtung der ebenfalls von Paul Hindemith geforderten pädagogisch-ethischen Verantwortung des Komponisten dem Amateur gegenüber. Hier hat wohl der Gastkurs Hindemiths, den Majo als Studierender der Folkwang-Schule in Essen im Jahr 1932 eifrig besuchte, seine unmittelbare praktische Auswirkung gefunden.

Das thematische Verzeichnis der Kompositionen von Ernest Majo zeigt an, was alles zum selbstverständlichen Repertoire des Blasorchesterkomponisten zählt: der Marsch ebenso wie die symphonische Dichtung, die pädagogische Spielmusik ebenso wie die jeweilige Avantgarde-Komposition, absolute und funktionale, Freiluft- und Konzertsaalmusik, U(nterhaltungs)- und E(rnste)-Musik, geistliche und weltliche Stücke. Der Weg von der „Musica humana"[2] zur „Musica non humana" ist im „Komponieren für Amateure" allerdings nicht denkbar.[3]

---

[2] W. SUPPAN, *Musica humana. Die anthropologische und kulturethologische Dimension der Musikwissenschaft*, Wien–Graz–Köln 1986 (Forschen-Lehren-Verantworten 9, hg. von B. SUTTER).

[3] W. WIORA, *Komponist und Mitwelt*, Kassel–Basel–Paris–London–New York 1963 (Musikalische Zeitfragen 6), behandelt im Unterkapitel „Der avantgardistische Nonkonformismus" das Thema „Musica non humana", und in diesem Sinne ist die Redewendung auch hier gedacht.

Der Verfasser kennt Ernest Majo seit mehr als zwanzig Jahren. Er hat den Lebensweg des Komponisten seit der Mitte der sechziger Jahre mit großer Anteilnahme verfolgt – und viele seiner Kompositionen (vielfach noch tintenfrisch, vor der Drucklegung) mit Amateurblasorchestern im Südbadischen und in der Steiermark selbst dirigiert. Distanzierte Beobachtung, die dem Wissenschaftler eigen ist, mag daher mit persönlichen Eindrücken und Erfahrungen aus konkreten Aufführungssituationen sich verflechten. Das bedeutet: Musikpraxis hat zu wissenschaftlichem Interesse an der Sache geführt. Doch soll dieses Buch, als Ergebnis des wissenschaftlichen Interesses, umgekehrt dazu beitragen, den Auftrag des Blasorchesters sowie der Komposition für Blasorchester im zeitgenössischen Musikleben zu bestimmen – und damit in die Praxis zurückwirken. Vielleicht finden sich in diesem Zusammenhang zudem Ansätze für die Klärung der offenen, philosophisch-ästhetisch bislang kaum bedachten Fragen nach dem Verhältnis zwischen Gebrauchs- und Kunstwert von Musik, nach dem Sinn von Struktur- und Formanalysen einerseits und anthropologischen Funktionsanalysen andererseits; denn nur dann, wenn das Blasorchester seine „ästhetischen Ziele" und die Bedeutung seiner historischen Vergangenheit in stärkerem Maß als bisher in der Öffentlichkeit bewußt machen kann, wird es auch von dieser Öffentlichkeit gerechter als bisher beurteilt werden. David Whitwell hat diese Forderung bereits 1971 formuliert: „Any historian who reflects on the band comes upon a fundamental paradox which facts do not seem to substantiate. The problem, stated in the form of a question, is: Why is the contemporary band not fully accepted as a cultural force in the nation? ... The writer believes that the root of this paradox is found in the band's failure to control two basic dimensions of all cultural mediums. It has not defined its aesthetic goals. It has mis-defined the nature of its history ... The most pressing need is to locate and identify the source material of our medium, which is to say the forgotten masterworks for winds."[4]

Dieses Buch konnte entstehen, (1) weil Ernest Majo selbst mir mit großer Geduld und stets bereitwillig als Informant zur Verfügung stand. (2) Seit 1984 haben sich in meinen Doktoranden- und Diplomanden-Privatissima am Institut für Musikethnologie der Hochschule für Musik und darstellende Kunst sowie am Institut für Musikwissenschaft der Universität Graz Studierende eingefunden, die blasmusikalische Themen bearbeiten. Ich nenne Bernhard Habla (Thema: „Blasorchester-Instrumentation im 19. Jahrhundert"), Josef Heckle („Ästhetik symphonischer Blasmusik"), Adolf Marold („Spiel in kleinen Gruppen. Musikalischpädagogische und ästhetische Überlegungen dazu"), Josef Pöschl („Jagdmusik") und Heinrich Zwittkovits („Blasmusik im Burgenland"). Ich verdanke diesen Doktoranden zahlreiche anregende Gespräche. (3) Seit der Mitte der sechziger Jahre versuche ich als Mitglied des Geschäftsführenden Präsidiums des Bundes

---

[4] D. WHITWELL, *A New History of Wind Music*, Evanston, Ill. 1972, S. 74–80.

Deutscher Blasmusikverbände, alle Mitarbeiter in den Organisationen und in den Musikkapellen des mitteleuropäischen Raumes für den Plan eines „Blasmusikarchivs" zu gewinnen, in dem alle Quellen gesammelt und der Wissenschaft zugänglich gemacht werden sollten. Bisher konnte ich einige Materialien für mein (vorläufig privates) Blasmusikarchiv erhalten. Die Blasmusikverlage, ich nenne: Georg Bauer, Wilhelm Halter und Friedel Moritz in Karlsruhe, Kistner und Siegel in Köln, Philipp Grosch in München, Rudolf Erdmann in Wiesbaden, Louis Oertel in Burgwedel, Siegfried Rundel in Rot an der Rot, Johann Kliment in Wien, Helbling in Innsbruck, Adler in Bad Aussee, den Rheintal-Verlag in Rheinfelden und den Inntal-Verlag in Oberaudorf, Molenaar in Wormerveer, Tierolff in Roosendaal, Emil Ruh in Zürich-Adliswil, vor allem aber Fritz Schulz in Freiburg-Tiengen, trugen/tragen zur Vervollständigung der Praktika-Sammlung dieses Blasmusikarchivs bei, wofür auch an dieser Stelle gedankt sei. (4) Schließlich bin ich den Sekretärinnen im Institut für Musikethnologie der Hochschule für Musik und darstellende Kunst in Graz, Frau Irmgard Schüssler (bis 30. November 1986) und Frl. Doris Goldeband (ab 1. Dezember 1986), für die nicht immer problemlose Gestaltung des Druckmanuskriptes aufrichtig verbunden.

Blasmusikforschung steht am Beginn. Was alles noch zu tun sein wird, sollte dieses Buch schließlich ebenfalls aufzeigen. Die Geschichte der Literatur für Blasorchester seit dem ausgehenden 18. Jahrhundert ist aufgrund des derzeitigen Standes der Quellenerschließung nur skizzenhaft darzustellen. Was ich dazu beitragen kann, wollte ich nun veröffentlichen, um zu zeigen, worauf das Schaffen von Ernest Majo sich gründet, in welchem Umkreis es sich entwickelt hat. Die Schrift ist daher mehr als eine Majo-Biographie. Vielleicht ist aber gerade dadurch eine „wirkliche", das Schaffen Majos in besonderer Weise ehrende Festschrift entstanden!

I. SKIZZEN ZU EINER GESCHICHTE DER LITERATUR FÜR BLASORCHESTER SEIT DEM AUSGEHENDEN 18. JAHRHUNDERT

In mehreren Wellen vollzogen sich im Verlauf des 19. und des beginnenden 20. Jahrhunderts die Gründungen der bürgerlichen Männergesangvereine und der dörflich-kleinstädtischen Blaskapellen. (1) Gesellschaftspolitische Veränderungen, wie der 1848er-Aufruhr mit der daraus sich ergebenden Möglichkeit offizieller Vereinsgründungen, (2) patriotische Anlässe, wie u. a. der Ausgang des deutsch-französischen Krieges 1870/71, (3) die Evolution der Blechblasinstrumente von Signal- zu melodiefähigen Musikinstrumenten, schufen die Voraussetzungen. Die Integration militärischer Einheiten in das allgemeine Sozialgeschehen und das während langer Friedensjahre daraus erwachsende Repräsentationsbedürfnis der Militärs fanden im Bereich der Musik einen besonderen Ausdruck. So entstanden Vorbilder: leistungsfähige Militärorchester, deren Kapellmeister an der Entwicklung der musikalischen Komposition, d. h. der Avantgarde des 19. Jahrhunderts, bis zu Felix Mendelssohn Bartholdy, zu Richard Wagner, zu Franz Liszt, zu Hector Berlioz, zu Richard Strauss hin, Anteil nahmen und den Bekanntheitsgrad der Werke der genannten Komponisten in weiten Kreisen der Bevölkerung mitbestimmten. Andererseits interessierten sich Persönlichkeiten, wie Richard Wagner oder Liszt, Berlioz oder Richard Strauss, in hohem Maß für die Experimente im Bereich des Blasinstrumentenbaues, für Verbesserungen, für Neuentwicklungen, für deren Erprobung im Militärblasorchester und für daraus erwachsende Orchesterklangfarben.[5] Das Aufkommen des Blasorchesters im 19. Jahrhundert geschah nicht abseits von der allgemeinen Musikentwicklung. Im Gegenteil: ebenso wie die Blasinstrumente das Rossini-, das Wagner-, das Liszt-, das Berlioz-, das Richard Strauss-Orchester gewichteten[6], ebenso trugen die Militärorchester die zeitgleiche Musik hinaus in die Lande, um dort, wo die Bevölkerung nicht die Chance hatte, Opern- und Symphonieorchesterproduktionen zu sehen und zu hören, die neuen Komponistennamen bekannt zu machen und deren Werke zu popularisieren. Ein Effekt, der in der Geschichte der Musik(rezeption) und der damit verbundenen musikalischen Geschmacksbildung breiter Kreise der Bevölkerung noch kaum beachtet wird.

---

[5] Vgl. dazu *Bläserklang und Blasinstrumente im Schaffen Richard Wagners. Kongreß-Bericht Seggau/Österreich 1983*, hg. von W. SUPPAN, Tutzing 1985 (Alta musica 8); W. SUPPPAN, *Blasorchesterbearbeitungen Liszt'scher Werke*, in: Liszt-Studien I, Graz 1977, S. 179–202; ders., *Werke von Richard Strauss in Bearbeitungen für Blasorchester*, in: Neue ethnomusikologische Forschungen – Festschrift Felix Hoerburger, Laaber 1977, S. 61–70.

[6] „For the past one hundred years, development of orchestra moved principally along the lines of wind instruments": Aram Khatschaturjan in einem Brief an David Whitwell, 1967, veröffentlicht in D. WHITWELL, *A New History ..., wie* Anm. 4, S. 68.

Die Geburt des modernen Blasorchesters aus dem Geist der französischen
Revolution

Militärische Musikerformationen erfüllten primär Signalaufgaben. Marschmusik sollte anfeuern und den Gleichschritt der Truppe ermöglichen. Dafür stand jeweils „originale" Musik zur Verfügung.[7] Das Blasorchester aber ermöglichte darüber hinaus feierlich-zeremonielle und konzertante Freiluftmusik. Diese Funktion des Blasorchesters wurde erstmals von den französischen Revolutionskomponisten genutzt. „It has already been noted that the single most important development in the history of bands and band music took place as a concomitant of the French Revolution" (Richard Franko Goldmann[8]). „On the day the Bastille fell [14. Juli 1789], the word ‚band' in France meant the eight to twelve member ensemble familiar to military music in England, Austria, Prussia, and America of the same period. Little more than a year later there was in Paris a fulltime, paid, ‚concert'band of at least 45 members ... the modern band was born" (David Whitwell[9]). Die Entwicklung des Orchesters der Pariser National-Garde ist mit dem Namen Bernard Sarrette verbunden. Ferdinand Adrien, Henri Montan Berton, Matthieu Frédéric Blasius, Giovanni Giuseppe Cambini, Charles-Simon Catel, Luigi Cherubini, François Devienne, Frédéric Duvernoy, André-Frédéric Eler, Georg Friedrich Fuchs, François Réné und Michel Joseph Gebauer, François Joseph Gossec, Louis Emmanuel Jadin, Rudolphe Kreutzer, Honoré Langle, Xavier Lefèvre, Jean François Lesuer, Johann Paul Schwartzendorf, Etienne-Nicolas Méhul, Etienne Ozi, Niccolo Piccini, Ignaz Pleyel, Henri Joseph Riegel, Claude Rouget de Lisle, Etienne Solère, Jean Pierre Solié, Johann Christoph Vogel schrieben für dieses Orchester Musik im Stil des ausgehenden 18. Jahrhunderts. Ouvertüren und Symphonien in der (vor-)klassischen Sonatenform, die den Revolutionsfeiern – den ersten politischen Massenveranstaltungen der Neuzeit –

---

[7] *Zur Signalmusik:* G. DUTHALER, *Zum Signal,* in: Alta musica 4, 1979, S. 85–95; ders., *Trommeln und Pfeifen in Basel,* Basel 1985; Z. BARCY und P. KARCH, *Trompetensignale und Trommelstreiche in der österreichisch-ungarischen Armee und der Kriegsmarine (1629–1918),* Budapest 1985; A. HILLER, *Das große Buch vom Posthorn,* Wilhelmshaven 1985. – Zum Marsch: A. SUPPAN, *Repertorium der Märsche für Blasorchester* I, Tutzing 1982 (Alta musica 6); N. E. SMITH, *March Music Notes,* Lake Charles, Louisiana 1986; A. HOFER, *Studien zur Geschichte des Militärmarsches,* phil. Diss. Mainz 1987.

[8] R. F. GOLDMAN, *The Wind Band. Its Literature and Technique,* Boston 1961, S. 213.

[9] D. WHITWELL, *Band Music of the French Revolution,* Tutzing 1979 (Alta musica 5), S. 16. In diesem Buch findet sich ein vollständiges Verzeichnis aller damals entstandenen Werke der u. g. Komponisten. Vgl. zudem ders., *The Principal Band Appearances in the French Revolution,* in: Alta musica 4, 1979, S. 221–242. – Unberücksichtigt bleibt in dieser Schrift die russische Jagdmusik, die als Sonderentwicklung in Europa zu werten ist; dazu I. Chr. HINRICHS, *Entstehung, Fortgang und ietzige Beschaffenheit der russischen Iagdmusik,* St. Petersburg 1796, Neudruck Leipzig 1974, sowie die im Entstehen begriffene Grazer Dissertation von Josef PÖSCHL über „Jagdmusik" allgemein.

den gewünschten festlichen und weithin hörbaren Rahmen zu schaffen vermochten. Manche dieser Stücke sind in jüngster Zeit in Neuausgaben auf den Markt gelangt: Gossecs klassische Ouvertüre in C, 1795 entstanden, „the work has been widely played, a testimony to its acceptance as a repertoire piece and as a landmark in the original band literature" (Goldman, S. 214); die Militär-Symphonie desselben Komponisten aus den Jahren 1793/94. Dann Méhuls Ouvertüre in F (1795), „is among the most important and interesting of the band compositions of this period, although it has more elements of string conception in it than the works of Gossec or Catel" (ebda.). Ebenfalls 1795 entstand Catels Ouvertüre in C, „in its elegance and clarity, is characteristic of the perfection of late eighteenth century style" (ebda., S. 215). Die Partituren, die Whitwell von den Werken dieses Pariser Komponistenkreises bekannt macht, zeigen zweifaches Holz (Flöten, Oboen, Klarinetten, Fagotte), zwei- bis dreifaches Blech (Trompeten, Hörner, Posaunen) sowie Serpent oder Streichbaß und Schlaginstrumente an. Manchmal ist von „tuba curva" und von „buccin" die Rede. Ikonographische Quellen bezeugen die chorische Besetzung der einzelnen Stimmen. „The pieces by Gossec, Catel, Méhul, Jadin and their contemporaries ... were patterned after the high art music of the period" (Goldman, S. 195). Doch brach die Entwicklung dieses für die originale Blasorchesterliteratur entscheidenden Ansatzes mit dem Ausklingen der französischen Revolution wieder ab. Erst Hector Berlioz sollte mit der 1840, aus Anlaß des zehnjährigen Jubiläums der Juli-1830-Revolution komponierten „Grande Symphonie Funèbre et Triomphale", op. 15[10], einen Neuansatz versuchen: „One of the great ceremonial pieces of all time ... surely the most important ever conceived for wind band ... The sound of the thing is Berlioz at his best. No other composer has ever made a band sound so dark, so rich, so nobly somber" (Goldman, S. 216–218).

A. Das 19. Jahrhundert: Militärkapellen als Vorbilder

Unabhängig von der Entwicklung in Paris, war das Aufkommen der Blaskapellen im deutschsprachigen Raum vor allem mit der Militärmusik verbunden.[11] Dabei sind einerseits die klein-adeligen und die städtischen Traditionen der

---

[10] Vgl. auch D. Whitwell, *Concerning the Lost Version of the Berlioz Symphony for Band*, in: Journal of Band Research 11, Nr. 2, Spring 1975, S. 5–11.

[11] L. Degele, *Die Militärmusik. Ihr Werden und Wesen, ihre kulturelle und nationale Bedeutung*, Wolfenbüttel 1937; P. Panoff, *Die Militärmusik in Geschichte und Gegenwart*, Berlin 1938, ²1944; E. Rameis, *Die österreichische Militärmusik von ihren Anfängen bis zum Jahre 1918*, hg. von E. Brixel, Tutzing 1976 (Alta musica 2); F. Pieters, *Van Trompetsignal tot Muziekkapel. Anderhalve eeuw militaire muziek in Belgie*, Kortrijk 1981; sowie die Schriftenreihe des Arbeitskreises Militärmusik in der Deutschen Gesellschaft für Heereskunde, hg. von H.-J. Winter, 1978 ff.

„Harmoniemusiken"[12] und der Stadtpfeifer[13] des 18. Jahrhunderts weiterentwikkelt worden, andererseits bot die Übernahme des Türkischen Schlaginstrumentariums eine militär- und marschgemäßere Musizierweise. Bereits 1718 hatte in Wien ein türkisches Musikkorps allgemein Aufsehen erregt. Als im Jahr 1741 der slawonische Standesherr Baron von Trenck zum Obristwachtmeister der Kaiserin Maria Theresia ernannt wurde, zeigt sich dieser mit einer fünfzig Mann starken Feldmusik nach türkischem Vorbild in Wien[14]. Doch ist zur gerechten Beurteilung der folgenden Entwicklung des Militärmusikwesens im deutschsprachigen Raum zu beachten, daß die Militärorchester sowohl in der sogenannten Streicher- wie in der Bläserbesetzung spielten. Militärmusik ist daher nicht grundsätzlich Blasmusik. Wo es die äußeren Bedingungen ermöglichten – nämlich im Konzertsaal – musizierten die mehr als einhundert Militärkapellen der Donaumonarchie, aber auch die preußischen, bayerischen, badischen usf. Militärkapellen, die „Tannhäuser"-Ouvertüre selbstverständlich in der Originalbesetzung. Wo jedoch „laute" Musik im Freien geboten erschien, da wechselte ein Teil der Musiker das Instrument (jeder Musiker hatte zumindest je ein Streich- und ein Blasinstrument zu beherrschen) – und es erklang die „Tannhäuser"-Ouvertüre in reiner Bläserbesetzung.[15] Das bedeutet weiter: das Blasorchester entstand als Ersatzlösung, als ein „Orchester ohne Streicher", und die äußeren Auftrittbedingungen nur ließen zu dieser Ersatzlösung greifen. Die Besetzungsangabe „großes Orchester ohne Streicher" findet sich konkret in einer Marsch-Komposition Eduard von Lannoys, der während seiner Studienzeit in Brüssel und in Paris zu Beginn des 19. Jahrhunderts die französische Blasmusik kennen gelernt haben mag, um später in Wien und in Graz davon zu berichten.[16]

---

[12] F. Höfele, *Materialien und Studien zur Geschichte der Harmoniemusik,* Bonn 1982; W. Suppan, *Harmoniemusik – eine vergessene Gattung?,* in: Das Musikinstrument 34, 1985, Heft 11, S. 82–86; K. Janetzky, *Über die Problematik der Harmonie-Einrichtungen. Von Haydns „Ritter Roland" bis zu Webers „Der Freyschütz",* in: Alta musica 4, 1979, S. 121–135.

[13] W. Braun, *Entwurf für eine Typologie der „Hautboisten",* in: Der Sozialstatus des Berufsmusikers vom 17. bis 19. Jahrhundert, hg. von W. Salmen, Kassel u. a. 1971, S. 43–63.

[14] W. Suppan, *„Türkische Musik", Schellenbaum und Chinesischer Hut,* in: Das Musikinstrument 34, 1985, Heft 4, S. 105–108.

[15] Chr.-H. Mahling, *Arrangements für Blasinstrumente und ihr sozialgeschichtlicher Hintergrund,* in: Alta musica 4, 1979, S. 137–143. Die von den Militärkapellen geprägte Konzertsaal- und Freiluft-Besetzung, das heißt der Wechsel zwischen Streich- und Blasinstrumenten, wurde von größeren Stadtkapellen z. T. noch bis in die zwanziger und dreißiger Jahre unseres Jahrhunderts herein praktiziert. Vgl. dazu die Hinweise von P. Joas, *Studien zur Geschichte der Blasmusik im 20. Jahrhundert,* wiss. Zulassungsarbeit Stuttgart 1985, mschr., S. 36, auf die Harmonie Karlsruhe und auf die Stadtkapelle Tuttlingen, die noch 1927/28 ebenfalls in Streich-(Winter-) und Blas-(Sommer-)Orchesterbesetzung aufzutreten pflegten.

[16] W. Suppan, *Heinrich Eduard Josef von Lannoy (1787–1853). Leben und Werke,* Graz 1960 (Beiträge zur steirischen Musikforschung 2), S. 89.

So gesehen konnte das Repertoire der Militärorchester in reiner Bläserbesetzung – sehen wir vom Marsch ab – nur ein Abbild des Opern- und Symphonieorchester-Repertoires sein. Und selbst original dem Blasorchester zugedachte Kompositionen: hymnenartige Festmusiken oder auch Unterhaltungsstücke, hatten nicht einen spezifischen Blasorchesterklang zum Ziel. Die Instrumentation orientierte sich am Streicher-Vorbild, die Holzbläsermelodien und Figurationen imitierten Streichermelodien und Figurationen, Blasorchesterinstrumentation verstand sich – noch – nicht als Bestandteil der Komposition.[17] An dieser Einschätzung ändern auch einzelne interessante Kompositionen nichts.

Bemerkenswert erscheint Louis Spohrs Nocturne in C, op. 34, für je zwei Flöten, Oboen, Klarinetten, Fagotte, ein Kontrafagott, je zwei Waldhörner und Trompeten sowie Posthorn, Posaune, Baßhorn, Große Trommel, Cymbal und Triangel im Jahr 1815 geschrieben. Von den sechs Sätzen: Marsch, Menuett, Arie und Variationen, Polacca, Adagio und Finale, sind vor allem der erste, vierte und fünfte Satz interessant erfunden und instrumentiert. Die zarte Romantik des Adagio macht uns deutlich, warum Spohr in seiner Zeit und auch von Richard Strauss so hoch geschätzt wurde. Die drei großen Militärmärsche von Johann Nepomuk Hummel, um 1820 vollendet, zählen zu den frühen Beispielen der Gattung der Konzertmärsche. Der fünfzehnjährige Felix Mendelssohn Bartholdy kam 1824 nach Bad Doberan nahe Rostock. Dort komponierte er für die Kurmusik (1 Flöte, je zwei Klarinetten, Oboen, Fagotte, Hörner, eine Trompete und ein Baßhorn) die Ouvertüre für Harmoniemusik, op. 24. Später – 1838 – instrumentierte er das Werk um, und zwar für Blasorchester.[18] Weitere Bläserwerke schrieben Karl Maria von Weber, François Boieldieu (zwei Märsche), Gaetano Donizetti (Trauer-Marsch), ehe 1840 Berlioz' schon genannte Symphonie und 1844 Richard Wagners „Trauersymphonie zur Beisetzung K. M. von Webers" entstanden.[19] Giacomo Meyerbeer[20], Franz Liszt und Giuseppe Verdi hatten zwar intensive Kontakte mit Militärkapellmeistern und Blasinstrumentenbauern, komponierten jedoch nicht für das Blasorchester. Anton Bruckners

[17] Eine Doktorarbeit, die sich mit der Entwicklung der Blasorchester-Instrumentation im 19. Jahrhundert beschäftigt, entsteht zurzeit in Graz (Bernhard HABLA).

[18] D. F. REED, *The Original Version of the Overture for Wind Band of F. Mendelssohn Bartholdy*, in: Journal of Band Research 18, 1982, S. 3–10.

[19] L. K. JOHNSON, *The Wind-Band Compositions of R. Wagner (1813–1883)*, in: Journal of Band Research 15, Nr. 2, Spring 1980, S. 10–14; S. MUNGER, *Wagners American Centennial March*, ebda. 12, Nr. 1, Fall 1975, S. 5–11; ergänzend dazu ebda. 12, Nr. 2, Spring 1976, S. 44f. – Einen umfassenden Überblick über Wagners Verhältnis zu den Blasinstrumenten und zum Bläserklang gibt der Kongreß-Bericht Seggau 1983: *Bläserklang und Blasinstrumente im Schaffen Richard Wagners*, hg. von W. SUPPAN, Tutzing 1985 (Alta musica 8).

[20] GROVE 12, S. 255, gibt an, daß vier Fackeltänze von G. Meyerbeer original für Blasorchester komponiert worden seien. Die Autographe gelten als Kriegsverluste.

Autorschaft am Apollo-Marsch und am Marsch in Es ist zweifelhaft.[21] Johannes Brahms hatte seine Akademische Festouvertüre zwar dem Blasorchester zugedacht, mochte die Stimmen aber selbst nicht dafür aussetzen. Edvard Grieg komponierte 1866 den Trauermarsch auf den Tod des Freundes, den Dichter Richard Nordraak, für Klavier (in a-Moll). Er stellte später davon eine Blasorchesterfassung in g-Moll her, erschienen bei Peters in Leipzig – eine der ersten gedruckten Blasorchesterpartituren, die wir kennen. „The Grieg Funeral March is, in my opinion, one of the grandest works composed for band. It has a great intensity, marvelous color and immense pathos. The work is more in the nature of a rhapsodic lament than a march" (Goldman, S. 222). Ebenfalls hohe musikalische Qualität ist dem Marsch „Orient et Occident" von Camille Saint-Saëns (1869) und dem Militär-Marsch von Peter I. Tschaikowsky (1892, für das Orchester des russischen 98. Infanterie-Regiments) zuzusprechen. Nikolai A. Rimsky-Korsakov hinterließ mehrere einschlägige Kompositionen, darunter die Konzerte für Posaune und für Klarinette und Blasorchester.[22]

Doch die genannten Kompositionen konnten nur lokal wirksam werden; sie beeinflußten in nur geringem Maß das Repertoire der zahlreichen Militärkapellen. Bis zu den Vereinheitlichungen, was Stimmung und Besetzung betrifft, die Wilhelm Friedrich Wieprecht in Preußen und Andreas Leonhardt in Österreich durchsetzten, komponierten und instrumentierten in erster Linie Militärkapellmeister für „ihr" Orchester – und hüteten ihren Schatz an „Kapellmeistermusik" sorgfältig. Erst im letzten Drittel des 19. Jahrhunderts begannen Musikverlage zögernd (auch) Blasorchesterwerke zu drucken und auf den Markt zu bringen: der königlich-hannoversche Musikdirektor Louis Oertel gründete 1866 in Hannover einen Musikverlag, in dem er zunächst Vervielfältigungen eigener Arrangements für Militärorchester anbot. Fr. Portius, 1874 in Leipzig begründet, nahm Blasorchesterwerke in sein Verlagsprogramm auf. Den Übergang zu den zivilen Blaskapellen des süddeutschen Raumes vollzogen Johann Dennerlein, der „Nährvater der Blaskapellen", der 1886 in Würzburg den „ersten bayerischen Musikverlag" begründete, und Wilhelm Halter, Dirigent der Stadtkapelle Mosbach in Baden, mit der Gründung eines eigenen Musikverlages im Jahr 1898. In den Niederlanden folgte Tierolff in Roosendaal, 1899. Hermann Silwedel publizierte seit 1900 in Landsberg a. W. zahlreiche eigene Kompositionen. Bei W. Lüdecke in Bismark, Provinz Sachsen, erschienen seit 1904 die vor allem im ländlichen Bereich äußerst

---

[21] W. SUPPAN, *Anton Bruckner und das Blasorchester*, in: Alta musica 8, 1985, S. 198–219; W. PROBST, in: Österr. Blasmusik 32, 1984, H. 5, S. 6, weist darauf hin, daß der „Apollo-Marsch" mit dem „Mazzuchelli-Marsch" von Kéler Béla, op. 22, aus dem Jahr 1857 identisch sei.

[22] Weitere Daten bieten D. WHITWELL, *The History and Literature of the Wind Band and Wind Ensemble*, Bände 5 und 8, Northridge, Cal. 1984; H. R. REYNOLDS u. a., *Wind Ensemble Literature*, 2. Aufl., Madison, Wisc. 1975.

beliebten „Bismarker". Ebenfalls seit 1904 beteiligt sich Franz Pollack (später unter der Bezeichnung Neuer Münchner Musikverlag) an Blasmusikausgaben. Otto Wrede legte als erstes seiner Verlagswerke im „Regina-Verlag" in Wiesbaden, 1907, den Marsch „Per aspera ad astra" von Ernst Urbach vor. Seit 1908 lieferte der Musikverlag Hugo Scharf in Rudolfstadt in Thüringen die „Deutschen Fahnenmärsche" aus. Vorzüglich dem schweizerischen Blasmusikschaffen widmet(e) sich, seit 1908, der Musikverlag Emil Ruh in Adliswil bei Zürich. Doch bedürfte es einer eigenen, großangelegten Untersuchung (ich würde an eine Doktorarbeit denken), die die bislang äußerst fragmentarische Kenntnis des Blasmusik-Verlagswesens der Zeit vor dem Ersten Weltkrieg – und weiter bis in die vierziger Jahre unseres Jahrhunderts herein aufhellen sollte.[23]

Die einstweilen umfangreichste Liste mit historischer Literatur für unterschiedliche Bläser-Schlagzeuggruppierungen und Blasorchester bietet David Whitwell in seiner neunbändigen „The History and Literature of the Wind Band and Wind Ensemble", 1982 bis 1984.[24] Daraus lassen sich entscheidende Stationen der Bläser- und Blasorchesterkomposition während des 19. Jahrhunderts ablesen. Doch deckt sich der daraus gewonnene Eindruck keinesfalls mit der Wirklichkeit. Die Zusammenstellung Whitwells ist geprägt von den uns überkommenen Werklisten der „arrivierten" Komponisten (die in der Enzyklopädie „Die Musik in Geschichte und Gegenwart", im Grove oder im Riemann verzeichnet sind) sowie von einer Auswahl heutiger Bibliotheksbestände. Das tatsächliche Repertoire der Militär- und Zivilkapellen – in erster Linie Bearbeitungen, Tänze und Märsche – fand/findet sich in den (privaten) Archiven der Blasorchester.[25]

1800–14	L. Cherubini, Märsche für Bläser, Nr. 252, 261, 273, 284, 301, 305, 307–314
1802	J. B. Schiedermayr, Neue Türkische Stücke, op. 2
1809–16	L. van Beethoven, Verschiedene Märsche und Stücke für Harmoniemusik und Türkische Musik, WoO 18–24 *

---

[23] Einige Verlage sind in meinem *Lexikon des Blasmusikwesens*, Freiburg-Tiengen 1973, ²1976, erwähnt. Vgl. dazu einschlägige Artikel in den allgemeinen Musiklexika sowie die Jubiläumsschriften einzelner Verlage (etwa 75 Jahre Otto Wrede Regina-Verlag, Wiesbaden 1982).

[24] Wie Anm. 22.

[25] In dieser und in den folgenden nach ihrer Entstehung/Drucklegung chronologisch gegliederten Liste(n) von Blasmusikwerken bedeutet das Sternchen (*), daß über diese Komposition auch berichtet wird in: N. SMITH und A. STOUTAMIRE, *Band Music Notes*, San Diego, Cal. (Revised Ed.) 1979. Alle in diesem Buch vermerkten Verlags- u. a. Angaben werden hier nicht wiederholt. – Die Jahreszahlen beziehen sich in der Regel auf die Entstehung der Komposition, doch könnte teilweise auch das Jahr der Drucklegung (Copyright-Vermerk auf den Musiknoten) gemeint sein. Konkrete Daten sind derzeit nicht immer zu erhalten, die Sekundärquellen widersprechen sich häufig, Primärquellen fehlen in vielen Fällen. – Ergänzende Informationen finden sich bei W. SUPPAN, *Lexikon des Blasmusikwesens*, Freiburg 1973, ²1976, 3. Aufl. in Vorb.

1811	L. van Beethoven, Türkischer Marsch aus „Die Ruinen von Athen", op. 113, ed. in Blasorchester-Fassung von A. Suppan, Freiburg 1981, Schulz
1812	K. M. von Weber, Verschiedene Stücke für Harmoniemusik, J. 149–153
1813	F. Schubert, Bläser-Oktett, OED 72 / Eine kleine Trauermusik für neun Bläser, OED 79
1815	L. Spohr, Notturno op. 34
1816	G. L. Spontini, Les dieux rivaux
1817	G. Donizetti, Sinfonia in g
1818	K. M. von Weber, „Heil Dir, Sappho!" für 2 Sopran-Stimmen, Baß und Bläser
um 1820	J. N. Hummel, 3 große Militärmärsche / Oktett für Bläser (o. J.) Ch. Bochsa, Overture militaire op. 29
1822	G. Rossini, Passo doppio, 1829 zur „Wilhelm-Tell"-Ouvertüre umgearbeitet
vor 1824	K. Kreutzer, Baierisches Volkslied
1824/38	F. Mendelssohn Bartholdy, Ouvertüre für Harmoniemusik, op. 24*
1828	F. Schubert, „Glaube, Hoffnung und Liebe", OED 954, für Chor und Bläser / „Hymnus an den Heiligen Geist", OED 964, für Soli, Chor und Bläser F. Lachner, Festmarsch op. 24
um 1830	A. Reicha, Musik, das Andenken großer Männer und großer Begebenheiten zu feiern E. von Lannoy, Marsch für großes Orchester ohne Streicher
1834/36	F. Ries, Nocturnes
1835	G. Donizetti, 3 Märsche für den türkischen Sultan Abdul Medjid*
1836	F. Mendelssohn Bartholdy, Trauermarsch op. 103
1837	G. Rossini, Le Mariage de S. A. R. le duc d'Orleans /3 Märsche für dass. Ereignis
1840	H. Berlioz, Symphonie funèbre et triomphale op. 15
1843	F. Mendelssohn Bartholdy, Festlied zur Enthüllung der Statue des Königs Friedrich August von Sachsen für 2 Männerchöre und Blechinstr.
1844	R. Wagner, Trauersinfonie* F. Liszt, Soldatenlied aus Goethes „Faust" für Chor, Trompeten und Pauken
1846	F. Mendelssohn Bartholdy, Festgesang „An die Künstler" (Schiller) für Männerchor und Bläser. Neuinstrumentation

für Männerchor und Blasorchester von Armin Suppan, Wolfenbüttel-Zürich 1987, Möseler Verlag

1846 und 1850/53	G. Meyerbeer, Fackeltänze
1849	F. Liszt, „Licht, mehr Licht" für Männerchor und Blechbläser
1851	G. Rossini, Marsch für den türkischen Sultan Abdul Medjid *
1853–58	L. de Momigny, 3ᵉ Messe solennelle für gem. Chor und Blasorchester
1856	Ph. Fahrbach sen., Militär-Konzertstück
1856–72	P.-L. Aubrèy du Boulley, Les Echos des Alpes op. 172, etc.
1858–87	V. Buot, Symphonies, Ouvertures etc.
1863	A. Bruckner, „Germanenzug" für Chor und Bläser
1863–92	Ch. Aubert, Marche funèbre / Mexico défile, etc.
1864	R. Wagner, Huldigungsmarsch *
1865	A. Bruckner, Marsch in Es, NA Presser 1951
1866	E. Grieg, Trauermarsch
	F. Lachner, Festmusik op. 143
1867	G. Rauchenecker, Grand Overture
1867–1902	M. Blèger, Symphonie, Dieu et patrie, etc.
1868	G. Rossini, La Corona d'Italia
1869	C. Saint-Saëns, Orient et Occident, Marsch
	S. Mercadante, Sinfonia marcia
1870	F. Abt, Pas redublé
1876	Buchholz, Prélude & Fugue
1877	N. Rimsky-Korsakov, Konzert für Posaune und Blasorchester *
1878	N. Rimsky-Korsakov, Konzert für Klarinette * / Oboe und Blasorchester
	A. Dvořák, Serenade in d, op. 44 *
1880	P. I. Tschaikowsky, 1812, Ouvertüre *
1881	Joh. Brahms, Akademische Festouvertüre, zwar vom Komponisten nicht für Blasorchester instrumentiert, aber für ein solches vermeint *. Neuinstrumentation Hans Kolditz, Karlsruhe 1987, Halter.
1881–1907	L. Karren, Symphonie funèbre, Ouvertures etc.
1884–1913	G. Parès, Ouvertures etc.
vor 1885	Ch. Gounod, Petite Symphonie
1886–96	A. Bernier, Symphonie militaire
1887	F. Liszt, „Der Herr bewahret die Seelen...", für gem. Chor, Orgel und Bläser / „Karl August weilt mit uns" für Männerchor, Bläser, Orgel und Schlagzeug
	Th. Bidgood, The Mountaineer

1888	L. Ganne, Fantaisie-Ballet
1890	S. Jadassohn, Serenade op. 104 c
1891	Ch. Ives, Variations on America *
1892	A. Bruckner, „Das deutsche Lied" für Männerchor und Blechbläser
1893	P. I. Tschaikowsky, Militärmarsch für das 98. Inf.-Regiment
1896	H. von Herzogenberg, Begräbnisgesang op. 88 für Chor und Bläser
1897	E. Elgar, Imperial March, op. 32
1899	E. Elgar, Enigma Variations *

B. Das 20. Jahrhundert: Ein bemerkenswerter Neuansatz in England

Edward Elgars „Enigma Variations" (1899) sowie die Blasorchesterwerke des beginnenden 20. Jahrhunderts: Percy Aldridge Graingers erster „Hill Song" (1901), die „Irish Tune from County Derry and Shepherd's Hey" (1909), die auf den Volksliedsammlungen in Lincolnshire, 1905/06, basierende „Lincolnshire Posy", vor allem aber Gustav Holsts „First Suite for Band" in Es (1909) und seine „Second Suite for Band" in F (1911), setzten in mehrfacher Hinsicht neue Maßstäbe, indem sie sich deutlich von der unter dem Einfluß der leistungsfähigen Militärblasorchester dominierenden Gattung des Konzertmarsches distanzierten – und mit den Lied- und Suitenformen eine gleichsam neue Hülle für konzertante, die Blasinstrumente melodiös führende Werke schufen. „Grainger's position as a relative unknown in the ranks of twentieth century music is difficult to assess. He was a remarkable innovator, using irregular rhythms before Stravinsky, pioneering in folk music collection at the same time as Bartók, writing random music in 1905 and predating Varese in experimentation with electronic music".[26] „Holst... established an altogether new style of idiomatic band writing and, one might say with all justice, a new conception of band sound and of the kind of forthright music most suited to the performing medium" (Goldman, S. 225).[27] Zusammen

---

[26] N. Smith und A. Stoutamire, Band Music Notes, San Diego, Cal. 1977, ²1979, S. 95; H. E. Fred, Percy Grainger's Music for Wind Band, in: Journal of Band Research 1, Nr. 1, Autumn 1964, S. 10–16; T. C. Slattery, The Hill Songs of Percy A. Grainger, ebda. 8, Nr. 1, Fall 1971, S. 6–10.

[27] C. Gallagher, Thematic Derivations in the Holst Suite No. 1 in E Flat, in: Journal of Band Research 1, Nr. 2, Winter 1965, S. 6–10; R. Cantrick, ‚Hammersmith' and the two Worlds of G. Holst, ebda. 12, Nr. 2, Spring 1976, S. 3–11; J. C. Mitchell, G. Holst: The other Works of Military Band, ebda. 16, Nr. 2, Spring 1981, S. 1–12; ders., Early Performances of the Holst Suites for Military Band, ebda. 17, Nr. 2, Spring 1982, S. 44–50; ders., G. Holst's Three Folk Tunes: A Source for the Second Suite in F, ebda. 19, Nr. 1, Fall 1983, S. 1–4.

mit dem gebürtigen Dänen Carl Busch[28] und mit Ralph Vaughan Williams[29] bilden
Grainger und Holst eine Komponistengruppe, die in stärkerem Maß, als dies
bislang in der deutschsprachigen Blasmusikforschung gesehen wird, die Entwick-
lung der Literatur für zivile (Amateur-)Blasorchester und damit überhaupt die
Entwicklung des Blasorchesters in seiner gesellschaftlichen und musikalischen
Bedeutung in Europa, in den USA und in Japan beeinflußt hat. Die im ersten
Jahrzehnt des 20. Jahrhunderts in England neu gefundenen Parameter: (1) Bin-
dung an traditionelle, authentische Volksmusik – jedoch nicht im Sinne einer
Volksmusikbearbeitung sondern im Sinne Béla Bartóks, der die „Sprache der
Volksmusik" erlernte, um sich darin ausdrücken zu können[30]; (2) Gewinnung
einer Melodik, deren Bekanntheitsqualitäten weiten Kreisen der Bevölkerung den
Zugang zu dieser Musiksprache ermöglichten; (3) Einsatz der Blechblasinstrumente nicht als tuttiverstärkende, als kriegerische Dreiklangsmelodik bevorzu-
gende sondern als melodieführende Instrumente; (4) Rückgriff auf vor-romanti-
sche (klassische, barocke) Formen der Suite, des Liedes, der Toccata, des Diverti-
mentos und auf klare, linear geführte Stimmen und transparente Stimmgewebe.
Letzteres dezidiert angesprochen in der „William Byrd Suite" von Gordon Jacob,
der als jüngerer Kollege an den o. g. Kreis unmittelbar anschließt.[31]

Diese Parameter werden uns bei der Herausarbeitung blasmusikalisch-ama-
teurgerechter Strukturen immer wieder beschäftigen. Dabei ging es Grainger oder
Holst nicht bewußt um „Amateurmusik", um offene Besetzung oder Instrumentation oder gar um die Begrenzung der instrumental-technischen Schwierigkeiten.
„All of them use a full complement of normal band instruments, and several of
them require relatively uncommon instruments such as soprano saxophone or
contra-bassoon. Cues, where possible, are usually provided for these, but no cues
can replace the important parts often assigned to such instruments as the French
horns, Eb clarinet, bassoons, piccolo and others whose particular timbre is desired
for those parts. These parts are on occasion of considerable difficulty, although
always idiomatically written, and indeed beautifully conceived for the instruments. But of course they must be played, and the ensemble must be in balance"
(Goldman, S. 227).

---

[28] D. R. Lowe, *Carl Busch and the First Goldman Composition Contest: A Pivotal Point
in the Historical Evolution of Modern Wind Band Repertoire*, in: Journal of Band Research
14, Nr. 1, Fall 1978, S. 16–21.

[29] S. D. Pittmann Jr., *P. Grainer, G. Holst, and R. Vaughan Williams: A Comparative
Analysis of Selected Wind Band Compositions*, D. M. A. Dissertation, Memphis State Univ.
1979; F. Howes, *The Music of R. Vaughan Williams*, London 1954.

[30] B. Sarosi, *Volksmusikalische Quellen und Parallelen zu Bartóks und Kodálys Musik*,
in: Musikethnologische Sammelbände 1, hg. von W. Suppan, Graz 1977, S. 29–52.

[31] F. Fennell, *William Byrd Suite*, in: The Instrumentalist 30, Sept. 1975, S. 35–41.

Auch wenn die Blasorchesterwerke dieser „englischen" Gruppe nicht alle in das
ständige Repertoire der Amateur- und Schulkapellen eingehen konnten, haben sie
doch bald die Entwicklung im anglo-amerikanischen Raum (Grainger und Busch
ließen sich in den USA nieder) und von dort aus den Neuaufbau des zivilen
Blasmusikwesens in Japan und im deutschsprachigen, skandinavischen und Bene-
lux-Raum nach dem Zweiten Weltkrieg entschieden geprägt. Dies gilt nicht allein
in bezug auf die Komposition – sondern ebenso was das steigende Ansehen des
Blasmusikwesens in der Öffentlichkeit und im pädagogischen Bereich betrifft. So
konnte es geschehen, daß in den USA (und für US-amerikanische „Symphonic
Bands") Komponisten wie Ottorino Respighi, Albert Roussel, Aaron Copland,
Arnold Schönberg, Nicholas Miaskovsky, Charles Ives, Darius Milhaud, Paul
Hindemith, Heitor Villa-Lobos, Samuel Adler, Arthur Honegger, Henk
Badings, Gunther Schuller, Oliver Messiaen, Leonard Bernstein, Krzysztof
Penderecki, Karel Husa, Ernst Křenek gerne neue Werke schufen.

Und in Kontinental-Europa

Bearbeitungen der Meisterwerke der Komponisten des 19. Jahrhunderts einerseits, leichte Unterhaltungsmusik und Märsche andererseits bestimmten das
Repertoire der Militärkapellen im 19. und im beginnenden 20. Jahrhundert; ich
habe darauf bereits hingewiesen. Doch zeigt sich bei dem einen oder andern
Militärkapellmeister auch der Ehrgeiz, neben Bearbeitungen neue, eigene Kompositionen ernster Natur zu schaffen (wobei oft nicht deutlich auszumachen ist,
ob diese Werke zuerst für ein Orchester „mit" oder ein Orchester „ohne"
Streicher konzipiert wurden). Heinrich Saro führt in seiner „Instrumentations-
Lehre für Militair-Musik", Berlin 1883, etwa eine eigene Sinfonie Nr. 1 für
Militärmusik an. Zu den frühen Kapellmeistermusiken für Streich- und Blasor-
chester zählt auch Julius Fučiks „Marinarella"-Ouvertüre, op. 215, für Blasmusik, im Jahr 1908 bei Bosworth & Co. gedruckt und seit damals ständig in den
Programmen militärischer und ziviler Kapellen des mitteleuropäischen Raumes
zu finden. Knapp vor Beginn des Ersten Weltkrieges entstanden u. a. Florent
Schmitts „Dionysiaques", 1925 uraufgeführt, sowie die „Symphonie in B" von
Paul Fauchet, die 1926 erstmals erklang. Schmitts Komposition, in vollgriffiger
spätromantischer Konzeption, zählt heute zum ständigen Repertoire leistungsfä-
higer Blasorchester, während Fauchets Symphonie – nach Art einer Konzert-Suite
– später von Nicholas Miaskovskys Symphonie Nr. 19 in Es-Dur, op. 46, in den
Schatten gestellt wurde. „This four-movement work is the first important symphony composed for band since the one by Berlioz, almost 100 years before, and it
is an altogether satisfactory work that should be a permanent fixture in international band repertoire … full of melodic and harmonic interest, pleasantly propor-
tioned and admirably scored" (Goldman, S. 231).

Zu Beginn der zwanziger Jahre erregt ein junger Schweizer Komponist Aufsehen: Stephan Jaeggi. Seine programmatische Fantasie „Titanic", den Untergang des Luxusdampfers musikalisch schildernd, wird zum Prototyp einer eigenständig-schweizerischen Richtung in der Komposition. Jaeggi gelingt es zudem, im Jahr 1933 als Nachfolger Carl Friedemanns zum Dirigenten der Stadtmusik Bern bestellt zu werden – und damit die jahrzehntelange Vorherrschaft deutscher Militärkapellmeister in der Schweiz zu brechen.

Donaueschingen 1926

Deutschland öffnete sich den neuen Ideen in der Blasmusikkomposition, als Paul Hindemith Mitte der zwanziger Jahre darauf drängte, im Rahmen des Donaueschinger Avantgardefestes auch das „jugendbewegte" Suchen nach neuen Ausdrucksformen im Amateurmusikbereich ernst zu nehmen.[32] Am 24. Juli 1926 kamen in dem fürstlich-fürstenbergischen Schwarzwaldstädtchen folgende Werke zur Aufführung:

Ernst Křenek: Drei Märsche für Militärorchester, op. 44
Ernst Pepping: Kleine Serenade für Militärorchester
Ernst Toch: Spiel für Militärorchester
Paul Hindemith: Konzertmusik für Blasorchester, op. 41

Die Programmfolge, vom Marsch zur Konzertmusik, ist in mehrfacher Hinsicht plakativ gemeint: nämlich die Blasmusik aus ihrer Marschgebundenheit herauszuführen und zur Konzertmusik werden zu lassen, das Militärorchester zum Blasorchester umzugestalten. Die Křenek-Märsche dirigierte der ständige Dirigent der Kapelle des Ausbildungsbataillons des Infanterie-Regiments 14 in Donaueschingen, Heinrich Burkhard. Die weiteren Kompositionen wurden unter der Leitung von Hermann Scherchen mit demselben Orchester uraufgeführt.

Das Konzert wurde am 26. Juli 1926 wiederholt, wobei im Programm zusätzlich von

Hans Gál: Promenadenmusik für Militärorchester

---

[32] Vor allem zahlenmäßig war das Potential an (Amateur-)Blasmusikern in Deutschland nach dem Ende des Ersten Weltkrieges deshalb angewachsen, weil die ehemaligen Militärmusiker in Zivilberufe drängten und nebenbei doch der Blasmusik verbunden bleiben wollten (oder als Arbeitslose: mußten). Man kann sich ein Bild von der Anzahl dieser Musikergruppe machen, wenn man weiß, daß vor dem 1. Weltkrieg 15 700 Musiker in 560 Militärkapellen tätig waren, während nach 1918, bei der Reichswehr, noch 140 Kapellen mit insgesamt 3600 Musikern besoldet wurden. Ähnlich verhielt es sich in Österreich. Vgl. dazu A. Eckhardt, *Die Militärmusik in der Reichswehr*, in: Arbeitskreis Militärmusik in der deutschen Gesellschaft für Heereskunde, Schriftenreihe Nr. 11, 1979, S. 11–24; G. Kandler, *Zur Geschichte der deutschen Soldatenmusik*, ebda. Nr. 35/36, Oktober 1983, S. 4–41.

zur Aufführung gelangte. In seiner Freiburger Doktorarbeit über die Donau-eschinger Kammermusiktage von 1921 bis 1926 weist Hans Bennwitz auf einige interessante Details hin, die die Einschätzung des Militär- und Blasmusikwesens damals betreffen. Die Einladung, für Donaueschingen ein Werk zu schreiben, enthielt u. a. folgenden Satz: „Brachte unser letztjähriges Fest eine Auseinander-setzung mit dem Chorproblem, so wollen wir doch die Aufführung von Original-kompositionen für Blasorchester (Militärmusikbesetzung) anregen zur Produk-tion von Gebrauchsmusik für Blasorchester. Was an neuer Militärmusik vorhan-den ist, ist Bearbeitung, Surrogat".[33] Darauf antwortete Ernst Pepping (Brief vom 24. März 1926): „Ich bitte Sie, mir häufiger so ausgezeichnete Vorschläge zu machen. Für Ihre Anregung bin ich Ihnen sehr dankbar und werde im Laufe des nächsten Monats eine oder mehrere Kleinigkeiten für Militärorchester schicken." Auch Křenek stand dem Vorschlag positiv gegenüber (Brief vom 30. Juni 1926): „Ich bin gerne bereit, für Ihre Militärmusik etwas zu schreiben, das macht mir viel Spaß"; ebenso Hans Gál (Brief vom 12. April 1926): „Natürlich interessiert mich das! Sie werden bestimmt in 6 Wochen ein Stück der verlangten Art von mir haben"; reservierter Ernst Toch (Brief vom 28. März 1926): „Bei der Unterhal-tungsmusik [!] für Militärorchester würde ich eventuell recht gerne mitmachen." Zwei weitere Kompositionen wurden offensichtlich fertiggestellt/geplant, doch ist über ihren Verbleib nichts bekannt: Paul Dessau teilte mit: „Endlich ist nun die ,Militärische Partitur' sozusagen fertig ... Ich bin sehr dankbar für die Anregung zu dieser Gattung. Es hat mich viel weiter gebracht ... Es ist das erste Werk, das ich für die Besetzung schrieb"; und von Felix Petyrek gibt es folgende Briefstelle: „Nun kann ich auch der Frage der Militärmusik näher treten. Ich bin gerne bereit, etwas zu versuchen." „Wegen Arbeitsüberlastung" hat Alexander Tscherepnin den Auftrag abgelehnt.[34] – Für die weitere Entwicklung bemerkenswert erscheint, daß die o. g. Blasmusikwerke von Gál und Pepping in den jüngeren Werkver-zeichnissen der beiden Komponisten verschwiegen werden[35], was Bennwitz damit begründet, daß „die Komponisten (jung waren). Ihre heutigen Äußerungen distanzieren sich häufig von dieser Musik und geben nicht unbedingt ihre damali-gen Auffassungen wieder"; denn die durch die „Laienmusik" entstehende „Anspruchslosigkeit des Spielers, dessen technische Fähigkeiten und Wissen von der Musik immer geringer wurden, und die Entwertung von der ,musischen

---

[33] H. BENNWITZ, *Die Donaueschinger Kammermusiktage von 1921–26*, phil. Diss. Freiburg im Breisgau 1962, S. 165–182; die weiteren Briefzitate sind ebenfalls dieser Schrift entnommen.

[34] A. Tscherepnins Absage dürfte jedoch nicht so verstanden werden, als würde er der Blasmusik grundsätzlich abweisend gegenübergestanden sein, da er wohl Werke dieser Gattung komponierte, u. a. für die Festlichen Musiktage in Uster, 1977, die „Russischen Weisen".

[35] W. WALDSTEIN, *H. Gál*, Wien 1965; H. POOS, *Festschrift Ernst Pepping*, Berlin 1971.

Bewegung'" schien/scheinen der Reputation der Komponisten abträglich zu sein.[36]

In seiner Würzburger Magisterarbeit betont Bernhard Habla, daß der Begriff „Blasorchester" noch 1924 bei Kurt Weill: „Konzert für Violine und Blasorchester", op. 12, für eine Art „Bläserkammerorchester" benutzt wurde, nämlich für die Besetzung zwei Flöten, Oboe, je zwei Klarinetten, Fagotte und Hörner, Trompete und Schlaginstrumente. Hermann Grabner schrieb seine „Perkeo-Suite" im folgenden Jahr für „Bläserorchester", das heißt, für je zwei Flöten, Oboen, Klarinetten, Fagotte sowie Kontrafagott und vier Hörner (im Grund eine verstärkte Bläser-Harmonie).[37] Bei Hindemith erst erscheint das große Militär-(blas)orchester, mit chorisch besetzten Holz-, den eng- und weitmensurierten Blechblasinstrumentenfamilien sowie der Perkussionsgruppe, unter der Bezeichnung Blasorchester. Hindemith hat damit kein neues Orchester erfunden – sondern die seit dem zweiten Drittel des vorigen Jahrhunderts im militärischen und auch im zivilen Bereich bestehende Orchesterformation einleuchtend benannt.

Doch weder die Militärkapellen – von einzelnen Ausnahmen abgesehen – noch die Masse der Amateurblaskapellen hat damals den Sinn dieser neuen Entwicklung begriffen. Überregionale Verbände, wie der Süddeutsche Musiker-Verband, riefen angesichts der Urheberrechtsgesetze sogar dazu auf, nur Werke von Komponisten zu spielen, die schon mehr als dreißig Jahre tot seien, um Gebühren zu sparen.[38] Doch konnten solche abstrusen Gedanken nicht unwidersprochen bleiben. Der Stuttgarter Komponist Franz Springer wehrte sich und wies auf die Gefahr hin, daß sich die Blasmusik „mitsamt unserem musikalischen Konservativismus so langsam von dem sich vorwärts entwickelnden Kunstgeschmack der Allgemeinheit absplittern und auf das tote Geleise des Abstellbahnhofs" begeben würde.[39]

In der Tat fanden sich damals ernsthafte Männer zusammen, die neue Ideen über die Zukunft der Amateurblasmusik entwickelten. Dabei ist ein Blick in die Schweiz geboten. Noch 1925, anläßlich des Internationalen Musikfestes in Luzern, schrieb der Eidgenössische Musikverband nur Bearbeitungen als Pflichtstücke vor:

---

[36] H. BENNWITZ, *Die Donaueschinger Kammermusiktage...*, wie Anm. 33, S. 179 und 182.
[37] B. HABLA, *Blasorchester. Begriff und Besetzung seit Einführung der Ventilinstrumente*, Mag.-Arbeit Univ. Würzburg 1982, mschr., S. 32 f. – Vgl. neuerdings H. HEYDE, *Das Ventilblasinstrument*, Leipzig 1987.
[38] Süddeutsche Musiker-Zeitung 1929, Nr. 38, S. 3.
[39] Süddeutsche Musiker-Zeitung 1931, Nr. 13, S. 1.

1. Klasse: Beethoven, 3. Leonoren-Ouvertüre, Fidelio- und Coriolan-Ouvertüren
2. Klasse: Beethoven, Egmont-Ouvertüre
3. Klasse: Suppé, Dichter und Bauer, Ouvertüre
4. Klasse: Beethoven, König-Stephan-Ouvertüre
5. Klasse: Beethoven, Maestoso und Allegro aus „Prometheus"
6. Klasse: Mercadante, Die Vestalin, Ouvertüre; Verdi, Arie und Miserere aus „Troubadour"

Sechs Jahre später, 1931, beim Berner Musikfest, hatte sich die Situation verändert. (Möglicherweise unter dem Eindruck der immer beliebter werdenden „Titanic"-Komposition von Stephan Jaeggi aus dem Jahr 1922!) Theo Rüdiger, bis 1932 Mitglied der Weimarer Hofkapelle, danach als Dirigent und Komponist im Amateurblasmusikbereich tätig, zugleich einer der eifrigsten Mitarbeiter der Blasmusikzeitschriften jener Jahre, nahm an dem Berner Musikfest teil. Er berichtete darüber unter dem Titel

„Sinfonische Blasmusik"

(die Bezeichnung taucht hier meines Wissens erstmals in solchem Zusammenhang auf) in den deutschen und österreichischen Blasmusikzeitschriften[40]:

„Auf dem Gebiete der Orchestermusik – gezwungen durch die wirtschaftliche Lage und durch die Konkurrenz der mechanischen Tonwerkzeuge, scheint jetzt etwas vor sich zu gehen, was auf eine neue Epoche hinweist, und diese neue Zeit wird wahrscheinlich heißen: ‚Im Konzertsaal Konzerte mit Werken sinfonischer Blasmusik' ... Der Fachmann wird hiezu sagen: ‚Sowas gibt es bis jetzt noch nicht und wird auch wohl nie dazu kommen, Blasmusik- (Harmonie- oder Blechmusik-)Konzerte werden über den Rahmen der Volks- und Unterhaltungsmusik niemals hinauskommen'.

Vor einigen Jahren wäre ich schließlich auch dieser Meinung gewesen. Heute, nach dem Berner Musikfest (25. bis 27. Juli 1931) denke ich aber anders und deshalb möchte ich auch meine Gedanken und Anregungen möglichst ausführlich niederschreiben.

Daß die Blasmusik bis jetzt nur im Rahmen der Volksmusik blieb, lag daran, daß wir keine eigentlichen Originalwerke für Harmonie- und Blechmusik besaßen. Meistens waren es immer nur mehr oder weniger gut gelungene Bearbeitungen und Arrangements bereits bekannter, bewährter Streichmusikwerke (in letz-

---

[40] Ich zitiere aus seinem Artikel in der Alpenländischen Musikerzeitung 4, 1933, 6. Folge, S. 1 f. – Der Artikel erschien in ähnlicher Form auch in anderen Zeitschriften, u. a. in der Süddeutschen Musiker-Zeitung 1932, Nr. 3, S. 1.

ter Zeit traten schon Bearbeitungen für Blasmusik von klassischen Sinfonien, sinfonischen Ouvertüren und Dichtungen auf).

Am allerwenigsten aber gab es sogenannte sinfonische Original-Blasmusikkompositionen modernerer Art. Hier hat nun der Schweizer Eidgenössische Musikverein mit seiner bewährten Musikkommission die dankenswerte Initiative tatkräftig ergriffen und auf Grund eines Preisausschreibens verschiedene sinfonische Originalwerke für Blasorchester im Druck herausgegeben, die sich auf dem Eidgenössischen Musikfest in Bern sehr bewährt haben und von all den kleinsten bis zu den stark besetzten Kapellen in einer Besetzung von 20 bis ca. 120 Bläsern, je nach Klassen und Schwierigkeitsgraden ausgezeichnet wiedergegeben wurden.

Es sind lauter gute Kompositionen, diese Originalwerke des Eidgenössischen Musikvereins, und ich möchte sie hiermit kurz anführen:

Franz von Blon mit 4 Werken a) Dramatische Ouvertüre, b) Humoreske,
    c) Nocturno, d) Impromptu.
Dassetto, Sinfonisches Präludium.
Fernand, Berückendes Idyll.
Friedemann, Ouvertüre: Das Leben ein Kampf.
Schell, Ouvertüre: Blaue Grotte, Präludium und
Scherzo u. a.

(Ich habe diese eben angeführten Werke fast alle in Bern mehrere Male von verschiedenen Kapellen und Musikvereinen gehört und konnte mit großer Befriedigung feststellen, daß hier von den Komponisten endlich wertvolle Originalwerke für Blasmusik geschaffen wurden.)

Für die modernen, lebenden Komponisten ist daher ein dankbares Feld ihrer Befähigung und Betätigung: ‚Sinfonische Originalwerke für Blasmusik' (Harmonie- und Blechmusik) zu komponieren eröffnet.

Die Schweiz, das Präsidium, die Leitung der Eidgenössischen Musikvereine hat jetzt auf diesem Gebiete einen neuen Weg beschritten, der uns zu neuen, zu erstrebenden Zielen und Möglichkeiten in der Blasmusik-Literatur führen wird. Durch jahrelange unermüdliche Arbeit der Eidgenössischen Musikvereine ist die Blasmusik in der Schweiz zu einem ernst zu nehmenden Kunst- und Kulturfaktor geworden.

Mit der Herausgabe dieser oben angef. Schweizer modernen Original-Blasmusikwerke, die in bezug auf Klangwirkung, moderne Harmonieverbindung, sinfonischen Aufbau und Satztechnik viel Neues bringen, ist uns die Richtung gezeigt, in der wir weiter fortschreiten können.

Doch in der bereits bestehenden Orchesterliteratur älterer Meisterwerke ‚sinfonischer Art' gibt es noch vieles, was für Harmoniemusik in den Rahmen ‚Sinfonischer Blasmusikkonzerte' hineinpaßt. Durch gute erfahrene Fachbearbeiter und Instrumenteure läßt sich noch manches Meisterwerk Richard Wagner's, Eduard Grieg's (Peer-Gynt-Suiten), Franz Liszt's (Sinfonische Dichtungen), Anton Bruckner's (Sinfonien) usw. für die moderne Blasmusik und deren neuzeitliche Literatur gewinnen. Diese Werke letztgenannter, nicht lebender Komponisten sind in ihrer Art geradezu geschaffen, in die Liste ‚Sinfonische Blasmusik' aufgenommen zu werden.

Daß natürlich die Schweiz, insbesondere die italienische und französische Schweiz, sowie Frankreich und Italien, infolge ihrer reichhaltigen Instrumental-besetzung mit Saxophonquartetts u. Sextetts, Sarrusophonen usw. und mit der größeren Mitgliederzahl ihrer Vereine, den deutschen u. österr. Harmoniemusik-kapellen klanglich und technisch im Vorteil sind, bedarf wohl keiner Frage. Die Klangfarbe und die technischen Klangmöglichkeiten bei einer Kapelle von 100 Bläsern gegenüber einer deutschen Besetzung von 26 Musikern (vor dem Kriege waren die deutschen Infanteriekapellen über 40 Mann stark) sind natürlich bedeutend reichhaltiger und größer."[41]

Aus diesem Artikel wird deutlich, daß zu Beginn der dreißiger Jahre unabhängig voneinander zwei Möglichkeiten der musikalischen Weiterentwicklung des zivilen Blasmusikwesens gesehen werden: (1) Einmal der jugendbewegte Anstoß Paul Hindemiths, an den 1926 in Donaueschingen vorgeführten Kompositionen erläutert, in der Grundidee (bewußt oder unbewußt) der englischen Komponistengruppe um Edward Elgar, Paul Holst und Ralph Vaughan Williams nachempfunden, – (2) zum andern eine „Sinfonische Blasmusik", aus dem Geist der harmonisch vollgriffigen Romantik der zweiten Hälfte des 19. Jahrhunderts entfaltet, in Relikten an den französischen Revolutionsmusiken und deren Nachfolgern, vor allem Berlioz, orientiert, wobei die Bearbeitung nicht grundsätzlich abgelehnt wird, ja, die Neukomposition vielfach im Stil von Bearbeitungen konzipiert erscheint. Die eine Richtung beruft sich auf ältere Bläsertraditionen und polyphone Gestaltungselemente der Frühromantik, des Barock oder gar der

---

[41] Eine ähnliche Aufbruchstimmung ist aus dem drei Jahre später erschienenen Aufsatz von E. LAUER, *Blasorchester im Aufbruch*, in: Die Musik 29/3, Dez. 1936, S. 190–193, herauszuhören: „Es ist eine merkwürdige und kennzeichnende Erscheinung unserer Tage, daß sich ein bislang fast nebensächlich betrachteter und oft gar nicht ernstgenommener Instrumentalkörper mehr und mehr im Musikleben Deutschlands durchzusetzen begonnen hat, ein Orchester, das man bisher seines ‚rauhen Klanges', seiner ‚brutalen Bässe' und seines ‚schreienden Blechs' wegen grundsätzlich als unkünstlerisch und ‚jedem ästhetischen Empfinden entgegengesetzt' ablehnte... Bläsermusik galt damals als eine unfeine Angelegenheit der Straße, des Marktplatzes, des Kasernenhofs... Wir stehen an der Schwelle eines gänzlich neuen Musikstils... Von hier aus ergeben sich für die Komponisten zwei große Aufgaben: Neue und gute Musik für Blasorchester zu schaffen... Auch muß von den Programmgestaltern deutlich die Grenze zwischen der leichten und der schweren Musik (im wertmäßigen Sinn) eingehalten werden."

Renaissance – zwar eher ideell als real, die andere schätzt die Klangfülle und Massenwirkung der ausgehenden Romantik.

Beide Richtungen sind im deutschsprachigen Raum während der dreißiger Jahre nebeneinander, zum Teil auch ineinanderfließend, gepflegt worden. Doch bedurfte es geduldiger Aufklärungsarbeit, um solche Musik im Bewußtsein der Amateurblaskapellen und ihres Publikums zu verankern. Zumal die Besetzung der großen Masse der Landkapellen noch in recht bescheidenem Rahmen verblieb (Rüdiger nannte als Regel 26 Musiker). In der „Alpenländischen Musiker-Zeitung" werden 1933 folgende Standardbesetzungen angeführt[42]:

(A) Harmoniemusik:
   Flügelhorn 1/2 in B
   Große und Kleine Flöte
   Oboe 1/2
   2 Klarinetten 1 in B
   Klarinette 2/3 in B
   Klarinette in Es
   Fagott 1/2
   Piston 1 in Es
   Tenorhorn 1/2/3 in B
   Horn 1/2/3/4 in Es
   Trompete 1/2 in B
   Trompete 2/3/4 in Es
   Bariton
   Posaune 1/2/3
   Baß 1/2
   Schlagzeug

(B) Blechmusik:
   2 Flügelhörner 1 in B
   Flügelhorn 2 in B
   Piston in Es
   Tenorhorn 1/2/3 in B
   Horn 1/2/3/4 in Es
   Trompete 1/2 in B
   Trompete 2/3/4 in Es
   Bariton
   Posaune 1/2/3
   Baß 1/2
   Schlagzeug

(C) Bayrische Besetzung:
   Flügelhorn 1/2 in B
   Große und Kleine Flöte
   2 Klarinetten 1 in B
   Klarinette 2 in B
   Klarinette 3 in Es
   Tenorhorn 1/2/3 in B
   Horn 1/2 in Es
   Trompete 1/2 in B
   Trompete 3/4 in Es
   Bariton
   Posaune 3
   Baß 1/2
   Schlagzeug

Besetzungen dieser Art hatte schon Hindemith im Auge, als er Donaueschingen 1926 plante. Die „jugendbewegte" Bläserbewegung wollte sich auch darauf beschränken. Wogegen die nach schweizerischem Vorbild entwickelte Idee großer Blasorchester darüber hinausgehen sollte, nicht allein was die chorische

---

[42] Alpenländische Musiker-Zeitung 4, 1933, Folge 8/9, S. 3, Reihenfolge der Instrumente lt. Quelle. Das Flügelhorn wird deshalb zuerst genannt, weil die Stimme für das 1. Flügelhorn in der Regel als Direktionsstimme eingerichtet ist. Eine Dirigier-Partitur wird nicht hergestellt.

Besetzung vor allem im Holzbläser-Register betrifft, sondern auch durch die Einfügung neuer Instrumente. Ein internationales Preisausschreiben des Eidgenössischen Musikverbandes hatte bereits 1929 gefordert: „Ferner ist darauf zu achten, daß auch das Register des Saxophons genau nach seiner großen Bedeutung möglichst selbständig (nicht bloß durch Verdoppelung von Blechblasinstrumenten) berücksichtigt wird."[43] Hier wird deutlich, daß die Hereinnahme der Saxophone in die neuen deutschen Luftwaffenorchester durch Hans Felix Husadel im Jahr 1935 nicht ohne das Wissen um die Entwicklung in der Schweiz geschah.

Hindemiths Idee beginnt zu greifen

Im Jahr 1935 wurden in Deutschland sowohl die „Bundeszeitung" des Bundes Südwestdeutscher Musikvereine wie die „Süddeutsche Musiker-Zeitung" des Süddeutschen Musikverbandes eingestellt. Die beiden Vereinigungen wurden aufgelöst und in der „Reichsfachschaft Chorwesen und Volksmusik" mit anderen von nun ab so genannten „Laienmusikverbänden" zusammengefaßt. Mit Januar/ Februar 1936 begann, von der Reichsmusikkammer herausgegeben, die den Amateurmusikern zugedachte Zeitschrift „Die Volksmusik" zu erscheinen, wobei als „dem ursprünglichen Sinne nach Volksmusiker alle diejenigen [bezeichnet werden], die Musik betreiben, ohne hauptberuflich Musiker zu sein".[44] Eine Definition, die zwar dem internationalen fachwissenschaftlichen Standard nicht entsprach, aber von der deutschen Volksmusikforschung widerspruchslos zur Kenntnis genommen werden mußte. Das neue Publikationsorgan hatte allerdings den Vorteil, die Diskussion um die neue, originale Blasmusik unmittelbar an die Basis der Blasmusiker heranzutragen. Ziehen wir ab, was aus nationalsozialistisch-parteipolitischen Gründen in den Aufsätzen der Zeitschrift „Die Volksmusik" veröffentlicht wurde, so bleibt doch ein entscheidender Anteil übrig, der sich mit den musikalischen Fragen befaßte, vor allem mit der Programmgestaltung, mit Literatur- und Besetzungsfragen. Dem jugendbewegten Ideal der kleinen Bläser-Schlagzeug-Besetzung wird primär das Wort geredet. Im Rezensionsteil der neuen Zeitschrift wird als erstes „Blasmusik"-Werk die Bärenreiter-Ausgabe der „Hessentänze", herausgegeben von Hans von der Au, vorgestellt: „Es ist erfreulich, daß der Bärenreiterverlag dem Bedarf vor allem unserer Dorfkapellen und Posaunenchöre an zügiger volkhafter Blasmusik mit diesen beiden Sammlungen nachgekommen ist. Hans von der Au's ‚Hessentänze' für Klarinette, 2 Trom-

---

[43] Süddeutsche Musiker-Zeitung 1929, Nr. 37, S. 1.
[44] K. ZIMMERREIMER, *Volksmusik als Aufgabe*, in: Die Volksmusik 1, 1936, S. 4. – Vereinzelt findet sich damals bereits der Hinweis auf das historische Erbe: „Jawohl, es gibt reichlich Originalmusik; liegt doch aus vier Jahrhunderten prächtiges Material vor, zum großen Teil allerdings ungedruckt auf Bibliotheken": R. SCHULZ-DORNBURG, *Blasmusik: eine Kunst!*, in: Musik im Zeitbewußtsein 2, 1934, Nr. 38.

peten, Tenorhorn, 2 Waldhörner und Tuba sind gerade das Richtige für frohe Feiern der Dorfgemeinschaft und für Volksfeste. Der Titel ‚Hessentänze‘ besagt nicht etwa, daß diese Stücke außerhalb des Hessenlandes fehl am Ort sind ... denn viele Weisen sind längst landauf landab in ganz Deutschland verbreitet und einige stellen sich als aufs Dorf gewanderte alte Gassenhauer heraus. Das nimmt ihnen nichts von ihrem Wert. Die Sätze von Adam Rodemich sind absichtlich einfach gehalten, um auch bei den bescheidensten Verhältnissen Verwendung finden zu können.“[45]

Ob die Blaskapellen in Deutschland ebenso dachten, ist zu bezweifeln. Jedenfalls findet man diese Ausgabe trotz offizieller Förderung nicht in den Konzertprogrammen; die Besetzung wäre selbst für die o. g. kleineren Kapellen zu beschränkt gewesen.

Eher an ein Bläser-Ensemble als an ein Blasorchester denkt man auch bei Hans Uldalls „Musik für Blechbläser und Schlaginstrumente“, die ebenfalls dringend empfohlen wird: „Hans Uldalls Musik für Blechbläser und Schlaginstrumente, die während der Tonkünstlerversammlung des Allgemeinen Deutschen Musikvereins in Weimar aufgeführt wird, kommt einem dringenden Bedürfnis [!] der Blasmusikkapellen entgegen. Sie kann 1. von kleinen aber leistungsfähigen Kapellen gespielt werden, 2. eignet sie sich auf Grund ihrer ganz unromantischen Thematik und Melodik für chorische Besetzung und schließlich ist sie eine ausgesprochene Feier- und Festmusik. Die Besetzung besteht aus 1. und 2. Trompete, 1. und 2. Flügelhorn (Trompete), 1. und 2. Horn (Tenorhorn), 1. und 2. Posaune (Tenorhorn), Tuba und Pauken. Die Eigenart des Werkes ist durchaus orchestral und nicht unbedingt kammermusikalisch. Die Themen sind auf weite Räume und auf Spiel im Freien angelegt ... In technischer und musikalischer Hinsicht stellt das Werk beträchtliche Anforderungen, die aber die musikalischen Leiter nicht abschrecken sollten, denn inhaltlich entschädigt die Musik für die aufgewandte Mühe.“[46] Uldalls Stück taucht denn auch immer wieder in den Programm-Modellen auf, die in der Zeitschrift „Die Volksmusik“ den Blaskapellen empfohlen werden (zunächst allerdings mit geringem Erfolg). Als im selben Jahr Theo Rüdiger eine „Festliche Musik“ für Blasorchester zum Druck bringt, stellt der Rezensent nur lapidar fest: „Rüdigers Festliche Musik ist ein ‚Triumphmarsch‘ in Form einer dreiteiligen Opernouvertüre. Die Feierlichkeit und festliche Würde hat ihre Vorbilder in den Massenaufzügen der großen französischen und der italienischen Oper des 19. Jahrhunderts. Da Rüdiger die typisch opernhaften Ausdrucksmöglichkeiten geschickt und gut auszunutzen versteht, wird die Festli-

---

[45] Die Volksmusik 1, 1936, S. 143. Der Rezensent spricht von „beiden“ Ausgaben, weil zugleich die Edition von „Volksliedern für Posaunenchöre“ in Sätzen von Walter Hensel rezensiert wird.

[46] Die Volksmusik 1, 1936, S. 191.

che Musik, an der rechten Stelle in ein Programm eingereiht, kaum ihre Wirkung verfehlen."[47] Rüdigers Komposition hatte jedenfalls eine bessere Chance, von den Blaskapellen angenommen zu werden.

Vier Grundsatzreferate beschäftigen sich im ersten Jahrgang der Zeitschrift „Die Volksmusik" mit dem Blasmusikwesen: (1) Heinz Brandes geht davon aus, daß 46% aller deutschen Liebhaberorchester Blaskapellen sind, und er leitet daraus die Forderung nach Schaffung von Originalblasmusik her. „Sie konnte aber nicht geschaffen werden, weil man von den alten Voraussetzungen ausging, und keine festen Kapellentypen, wie etwa die der Sinfonieorchester, bestehen. Daher klangen auch die meisten Originalkompositionen für Blasmusik wie Bearbeitungen aus der Streichmusik ... Weit über 2000 Werk-, Gemeinde- und Stadtkapellen und Hunderte von Formationskapellen warten auf festliche Blasmusik. Sollte das keinen Komponisten reizen?"[48] (2) Kurt Zimmerreimer wendet sich temperamentvoll gegen die überkommene Bearbeitungs-Literatur der Blaskapellen. Solche Bearbeitungen würden nur deshalb noch gespielt, weil „sie zurzeit durch Besseres nicht zu ersetzen sind ... Die Komponisten haben die Pflicht, ihnen [den Blasmusikern] einwandfreies, technisch für Laien faßbares Material bereitzustellen ... Dann wird es eine Selbstverständlichkeit sein, Musik aus erster Hand, nicht aber aus zweiter oder dritter mittels bearbeiteter Bearbeitungen zu spielen ... Was insbesondere die Bearbeitungen sinfonischer und Opernmusik für Blaskapellen betrifft, so haben sie zweifellos, soweit sie künstlerisch angemessen waren, ihren großen volkserzieherischen Wert gehabt. Sie haben uns Schätze ahnen lassen, die vielen sonst unbekannt geblieben wären ... Jede echte Entscheidung enthält auch einen Verzicht auf das, was ihr nicht entspricht, sei es auch ‚an sich' noch so gut. Wenn unsere Blaskapellen das Klangideal unserer Zeit an echter, guter Originalblasmusik unserer Zeit verwirklichen wollen, müssen sie sich entscheiden."[49] (3) Rudolf Schulz-Dornburg und (4, nochmals) Heinz Brandes wiesen darauf hin, daß allgemein das Wissen um Musik und um die Möglichkeiten perfekter Aufführungen gewachsen sei, so daß man auch bei der Blasmusik zwischen „gut" und „schlecht" vor allem im Hinblick auf Stimmung und stilgemäße Interpretation zu unterscheiden lerne. Statistische Erhebungen der Reichsmusikkammer konnten erweisen, daß die kleine Blasmusikbesetzung jene Norm sei, die die neue, amateurgerechte Blasmusik prägen müßte. Von den rund 1900 in Württemberg-Hohenzollern, Baden und Bayern erfaßten Kapellen (also in den „Hauptpflegestätten deutscher Blasmusik") würden 203 Kapellen in

---

[47] Die Volksmusik 1, 1936, S. 228 f. – Weitere Blasmusik-Neuerscheinungen werden ebda. rezensiert S. 428–430.

[48] H. BRANDES, *Stand und Weiterentwicklung unserer Blasmusik,* in: Die Volksmusik 1, 1936, S. 236–239.

[49] K. ZIMMERREIMER, *Blasmusik: Die Musik unserer Zeit!,* in: Die Volksmusik 1, 1936, S. 317–320.

Württemberg-Hohenzollern, 207 in Baden und 49 in Bayern mit durchschnittlich 16–19 Spielern auskommen; 302 Kapellen in Württemberg-Hohenzollern, 169 im Badischen und 129 im Bayerischen hielten bei 11 bis 15 Spielern. Folgende Instrumente seien in diesen beiden Gruppen besetzt[50]:

I	II
2–3 Klarinetten	1–2 Klarinetten
2 Waldhörner	1 Waldhorn
2–3 Trompeten	2 Trompeten
1 Posaune	0–1 Posaune
2 Flügelhörner	2 Flügelhörner
3 Tenorhörner	2–3 Tenorhörner
2 Bässe	1 Baß
1–2 Schlagzeuger	1 Schlagzeuger

Vergleicht man beide Gruppen, so schält sich als Kern folgende Norm heraus:

2 Klarinetten in B	2 Flügelhörner in B
2 Waldhörner in Es	2 Tenorhörner in B
2 Trompeten in B	1 Bariton
1 Tenorposaune	1 Baß in B
	1 Schlagzeuger

„Diese Besetzung bietet dem Komponisten drei vollstimmige Register: 1. Klarinetten und Waldhörner, 2. Trompeten und Posaune, 3. Flügelhörner, Tenorhörner und Baß. Die Musik muß nun unbedingt derartig beschaffen sein, daß die Einzelstimmen auch in chorischer Besetzung ausgeführt werden können. Wenn diese Voraussetzung erfüllt ist, kann auch jede größere Kapelle durch Doppelbesetzung einzelner oder aller Stimmen die Blasmusik in dieser Form ausführen. Für die kleineren Kapellen dagegen besteht die Möglichkeit, sich in absehbarer Zeit der kleinen Blasmusikbesetzung anzupassen. Stilistisch entspricht diese Besetzung mit ihrer Klarheit und Durchsichtigkeit in viel größerem Maße dem heutigen Klangempfinden als die kompliziertere und ganz auf Klangverschmelzung ausgehende bisherige Blasmusik" (Brandes, S. 361).

Allen diesen Aufsätzen ist zu entnehmen, daß offiziell das Pendel in die „jugendbewegte" Richtung der Blasmusikkomposition, mit Volkslied-Thematik,

---

[50] R. SCHULZ-DORNBURG, *Blasmusik ist Zeugnis deines Volkes,* in: Die Volksmusik 1, 1936, S. 353–355; H. BRANDES, *Kleine Blasmusikbesetzung – die Norm!,* ebda. S. 356–361. – Im 2. Jahrgang, 1937, ders. Zeitschrift finden sich folgende einschlägige Referate: H. BRANDES, *Die Stimmung der Blasinstrumente und das Einstimmen,* S. 16–19; ders., *Blasmusikbearbeitungen,* S. 383–390; A. HALM, *Einfache Musik,* S. 41–46; K. SCHLENGER, *Körperliche Eignung zum Bläser,* S. 89–94.

mit leicht polyphoner Verarbeitung der einzelnen Stimmen, mit solistischer, kammerorchester-artiger Besetzung, dem vermeintlich festlich-strahlenden Blechbläserklang der Alten Musik entsprechend, einschwingen sollte. Eine Richtung, die jedoch eher dem Klangideal der evangelischen Posaunenchöre als dem traditionellen Blasorchester nahekam. Auch Komponisten, wie Boris Blacher, sahen darin zukunftsträchtige Möglichkeiten: „In den hervorragenden Klangeigenschaften des Blasorchesters im Freien liegt zugleich die Problematik der Originalkomposition für diese Besetzung. Der Komponist, der nicht eine Konzert- oder Theatermusik schreibt, wendet sich an eine viel breitere, ganz anders zusammengesetzte Hörerschicht; daraus ergibt sich für den Stil die ganz bestimmte Forderung, daß eine solche Komposition – von Musiken für besondere Zwecke der Feiergestaltung usw. abgesehen – vorwiegend unterhaltenden Charakter aufweisen muß: gemeint sind mit diesem Begriff nicht gleich Märsche, Walzer, ‚Charakterstücke‘ oder Intermezzi, sondern ich denke hier an Serenaden oder Divertimenti etwa aus der Haydn-Mozart-Zeit... Das rhythmische Bild muß, um den echten Blascharakter zu wahren, straff gestaltet sein. Die ‚Kantabilität‘ hat in diesem Klangapparat immer einen merkwürdigen Beigeschmack ... allzu kunstvolle Polyphonie kann unter Umständen völlig verwischt werden... Ich glaube nicht, daß durch eine Anlehnung an den Stil des Symphonieorchesters die Blasmusik zu eigenen Kunstformen kommen wird."[51]

Die Reihe „Frisch geblasen" des Vieweg-Verlages, 1937 bis 1941 erschienen, zeigt das spezifisch „jugendbewegte" Ineinandergreifen neubearbeiteter Alter Musik mit neugeschaffener Musik für kleinere Bläserbesetzungen im Stil von volkstümlich übertitelter Alter Musik:

Nr. 1: Georg Friedr. Händel, Suite aus der Feuerwerksmusik. Reigen/Menuett/ Deutscher Tanz. Eingerichtet von H. Schnitzler. Grundbesetzung 13 Bläser/Vollbesetzung 24 Stimmen

Nr. 2: Johann Christoph Pezel, Suite in vier Sätzen. Festlicher Einzug/Springtanz/Schreittanz/Fröhlicher Ausklang (H. Schnitzler). Grundbesetzung 13 Bläser/Vollbesetzung 25 Stimmen

Nr. 3: Hubert Schnitzler, Heroischer Marsch mit Fanfaren. Grundbesetzung 16 Stimmen/Vollbesetzung 42 Stimmen

Nr. 4: Ludwig van Beethoven, Großer Militärmarsch (H. Schnitzler). Grundbesetzung 17 Stimmen/Vollbesetzung 25 Stimmen

Nr. 5: Valerius Otto, Intrade, und G. F. Händel, Festlicher Marsch (H. Schnitzler). Grundbesetzung 14 Stimmen/Vollbesetzung 25 Stimmen

---

[51] B. BLACHER, *Musik für Blasorchester*, in: Deutsche Musikkultur 2, Kassel 1937, S. 18 f.

Nr. 6: Sigfrid Walther Müller, op. 59, 1, Deutsche Tanzfolge. Festlicher Ländler/Mädchentanz/Fanfarentanz/Gassenhauer/Abendlied/Fröhlicher Ausklang. Partitur und 14 Stimmen

Nr. 7: Sigfrid Walther Müller, op. 59, 2, Festlicher Aufmarsch und Hymne. Partitur und 16 Stimmen, davon Flöte und Es-Klarinette ad lib.

Nr. 8: Fritz Werner-Potsdam, Werkfeier. Musik für Blasinstrumente in drei Sätzen. Partitur und 13 Stimmen

Nr. 9: Hermann Ambrosius, Fünf Stücke für Bläser. Partitur und 14 Stimmen

Nr. 10: J. S. Bach, Feierlicher Marsch, und M. Prätorius, Schwerttanz (H. Schnitzler). Grundbesetzung 13 Stimmen/Vollbesetzung 27 Stimmen

Nr. 11: Joh. Ph. Krieger, Lustige Feldmusik von 1704, Nr. 5 (H. Schnitzler). Grundbesetzung 16 Stimmen/Vollbesetzung 27 Stimmen

Nr. 12: Paul Höffer, Festliche Ouvertüre. Grundbesetzung 14 Stimmen/Vollbesetzung 28 Stimmen

Nr. 13: Ludwig Lürmann, Festlicher Marsch. Grundbesetzung 17 Stimmen/Vollbesetzung 33 Stimmen

Nr. 14: Franz Ludwig, Suite für Blasorchester. Fröhliches Tagewerk/Fasenacht/Am eisernen Hebel/Fughette

Nr. 15: Alfred v. Beckerath, Heitere Suite für Blasorchester. Fröhliche Eingangsmusik/Abendmusik/Festlicher Tanz/Part. und 24 Stimmen

Nr. 16: Emil Schuchart, Ländliche Musik für Blasorchester. Rundtanz/Abendlied/Fröhlicher Ausklang

Nr. 17: Bruno Stürmer, Tänzerische Spielmusik für Blasorchester. Aufmarsch/Langsamer Tanz/Walzer

Nr. 18: Willy Schneider, Notzinger Dorfmusik. Stampf/Springtanz/Dudelsack/Walzer/Dreher/Marsch

Nr. 19: Georg Phil. Telemann, Suite für Blasorchester (R. Kröber)

Nr. 20: Eberhard Ludwig Wittmer, Suite für Blasorchester. Vorspiel/Lied/Heiteres Spiel/Tanz

Bemerkenswert dazu die Verlagsankündigung, daß Streicherstimmen – ad libitum – zu den Nummern 1, 4, 5, 10 und 13 erschienen seien.

Die zweite wichtige Verlagsreihe mit Blasorchesterwerken hat Kistner & Siegel, damals Leipzig, gedruckt: „Platzmusik", herausgegeben von Walter Lott. Diese Reihe, die noch heute im Verlagsverzeichnis Kistner & Siegel (Auslieferung durch P. J. Tonger, Köln-Rodenkirchen) angeboten wird, zieht eher in die Richtung von Husadels Luftwaffenmusiken. Die Ausgaben Nr. 1 bis 11 erschienen 1938 bis 1942, nach dem Zweiten Weltkrieg gab es dazu eine Ergänzung (Nr. 12, 1952):

Nr. 1: Hermann Grabner, Burgmusik, op. 44. 16 Stimmen
Nr. 2: Paul Höffer, Fliegermusik. 24 Stimmen
Nr. 3: Paul Höffer, Musik zu einem Volksspiel. 22 Stimmen
Nr. 4: Hermann Grabner, Firlefei-Variationen, op. 46. 16 Stimmen
Nr. 5: Hugo Herrmann, Süddeutsche Dorfmusiken. 17 Stimmen
Nr. 6: Fritz Reuter, Suite
Nr. 7: Paul Höffer, Fliegermorgen. Fantasiestück f. Blasorchester. 31 Stimmen
Nr. 8: Georg Friedr. Händel, Feuerwerksmusik. Ouvertüre. Für Blasmusik
        bearb. von R. Kröber. 28 Stimmen
Nr. 9: Harald Genzmer, Musik für Luftwaffenorchester in 3 Sätzen.
        36 Stimmen
Nr. 10: Paul Höffer, Heitere Bläser-Sinfonie. 21 Stimmen
Nr. 11: Fried Walter, Kleine Suite für Bläser und Pauken. 18 Stimmen
Nr. 12: Joh. Aschenbrenner, Ländlicher Festtag. 11 Stimmen

Man sollte beachten, daß hier die Besetzung und Stimmenausstattung jeweils
unterschiedlich erscheint: von Hermann Grabners „Burgmusik" und „Firlefei-
Variationen" mit sechzehn Stimmen bis zu Paul Höffers „Fliegermorgen" mit
31 Stimmen und Harald Genzmers „Musik für Luftwaffenorchester" mit
36 Stimmen. Die Komponisten versuchen demnach, Regelbesetzungen „einzupflanzen". Zum Teil werden nicht die üblichen zwei- bis dreizeiligen Dirigier-
stimmen angeboten, sondern Partituren.

Neben Vieweg und Kistner & Siegel beteiligten sich an der vom Reichsverband
für Volksmusik initiierten Edition von Bläserwerken noch die Verlage H. Litolff
in Leipzig („Die Musik-Kameradschaft"), Erdmann („Das Bläserspiel"), Schott
(„Blasmusik für Fest und Feier") sowie Bärenreiter („Festliche Musik", „Lieder
der Deutschen", „Der Marsch").

Schließlich ist von einer zweiten Donaueschinger Initiative zu berichten. Hugo
Herrmann, der die „Musikfeiern" 1937 dort veranstaltete, wollte Hindemiths
Anregung neu aufgreifen. Im dritten Konzert am 26. September 1937, einer
„Festmusik für Bläser mit der Militärmusik Donaueschingen-Villingen" unter der
Leitung von Erich Bade, kam folgendes Programm zur Wiedergabe:

Alfons Schmid (Stuttgart): Aufruf und Hymne
Fritz Werner (Potsdam): Werkfeier
Cesar Bresgen (München): Bläsermusik, Werk 17
Eberhard Ludwig Wittmer (Freiburg): Sinfonische Musik 1936 für Blasorche-
    ster
Fritz Dietrich (Kassel): Zwei alte Choräle (Uns ward das Los gegeben – Wach
    auf du deutsches Land)

Georg Blumensaat (Berlin): Feierliche Liedsätze (Wo wir stehen, steht die Treue – Nur der Freiheit gehört unser Leben – Deutschland heiliges Wort – Nun laßt die Fahnen fliegen)
Josef Schelb (Karlsruhe): Festlicher Marsch
Hubert Schnitzler (Berlin): Heroischer Marsch mit Fanfaren

Vor allem das Werk Wittmers wird in den Konzertberichten hervorgehoben; es „müßte in den Besitz aller deutschen Militärmusiken kommen... Hier gewann der Mut zu einem neuen Bläserstil und zu einer zwischen Zweck- und absoluter Musik stehenden Kunst überzeugende Gestalt. Die völlig gleichberechtigte Wirkung einer Saxophongruppe brachte nicht nur ein reiches Kolorit, sondern erwies auch die Brauchbarkeit des Instruments für Massenwirkungen und im Ensemble.“[51a]

Hans Felix Husadels „Luftwaffenorchester"

Die oben zitierten Aussagen zeigen an, daß unter der Oberfläche offiziellen Einklanges doch Spannungen herrschten. Hans Felix Husadel, 1935 nach Berlin berufen und vom Reichsluftfahrtministerium mit dem Neuaufbau der Luftwaffenmusik betraut, vom Referenten für Musik in diesem Ministerium, Gerhart Winter, tatkräftig unterstützt, meldete sich in der Zeitschrift „Die Volksmusik" zu Wort.[52] Husadel hatte einerseits von der Tradition der deutschen Infanteriemusik sich abgesetzt, indem er einen Saxophonsatz als eigengeprägtes Register dem Blasorchester integrierte. Zudem vervollständigte es das Klarinettenregister durch die Einführung von As-, Es- und Baß-Klarinetten (letztere statt Fagott). Das weitmensurierte Blech wurde durch Ergänzung eines Sopraninos in Es in der Höhe erweitert, die Trompetenlage durch die Baß-Trompete in C zur Tiefe hin abgerundet. Alt-Zugposaune und Baß-Ventilposaune bereicherten das Klangvolumen. Doch nicht allein dies: „Um einen schlankeren Ton und eine hellere, schmetternde Klangfarbe und größere Geschmeidigkeit zu erzielen, wurden das Sopran-Kornett in B, die B-Trompete, die Tenor-Tuba, die Bariton-Tuba und die Tenor-Zugposaune enger mensuriert. Die Schalltrichter der Tenor- und Bariton-Tuba sind jetzt nach vorn gebaut. Einige bauliche Veränderungen zwecks leichteren Spiels und größerer Klangfülle weisen auch die neu eingeführten Baß- und

---

[51a] W. ZINTGRAF, *Neue Musik 1921–1950 (Donaueschingen, Baden-Baden, Berlin, Pfullingen, Mannheim)*, Horb am Neckar 1987, S. 88–94.
[52] H. F. HUSADEL, *Zur Frage der Programmgestaltung in Militärkonzerten*, in: Die Volksmusik 3, 1938, S. 532–535. Vgl. auch G. WINTER, *Über die Musik der deutschen Wehrmacht*, in: Völkische Musikerziehung 6, Mai 1940, H. 5; ders., *Über den heutigen Stand der deutschen Blasmusik*, in: Zeitschrift für Musik, Jan. 1940, H. 1; ders., *Die Blasmusik der deutschen Luftwaffe*, in: Deutsche Musikkultur 2, Kassel 1937, S. 17f.

Kontrabaß-Klarinetten auf."[53] Alle diese Veränderungen, die Husadel im Pionier-
geist der Militärmusiker des 19. Jahrhunderts durchführen ließ – und die auch im
zivilen Blasmusikwesen sogleich zu faszinieren vermochten (man lese dazu in der
Autobiographie Ernest Majos nach, S. 132), standen offensichtlich im Wider-
spruch zu den jugendbewegten Ideen Hindemiths und seiner Nachfolger, die
Blaskapellen eher als Bläserkammerorchester-Vereinigungen zahlenmäßig klein
zu halten. Husadel geht in dem o. g. „Volksmusik"-Artikel nicht direkt darauf
ein. Er spricht nur von der Programmgestaltung bei seinen Luftwaffenkapellen –
wozu allerdings die Redaktion ergänzt, daß die zivilen Kapellen „sich gern in der
Programmgestaltung an die Kapellen der Wehrmacht anlehnen" würden. „Es ist
ferner ratsam, möglichst immer – konsequent und mit vollem Bewußtsein – eines
oder mehrere moderne Werke, eines oder mehrere seltene Stücke und schließlich
eine oder mehrere große bedeutende Tonschöpfungen ins Programm aufzunehmen" (Husadel). Damit redet Husadel einer Programmfolge das Wort, die sowohl
Originalwerke wie Bearbeitungen enthalten sollte. Ein so gestaltetes Konzert des
Luftwaffenorchesters am 24. Februar 1937 in der Berliner Philharmonie fand
allerdings keine Gegenliebe bei den „Jugendbewegten": „. . . dennoch bleibt der
Wunsch nach einem Repertoire für Blasmusik, das hoffentlich in Kürze völligen
Verzicht auf jegliche im Zeitalter der Schallplatte und des Rundfunks überflüssige
‚Bearbeitung' gestattet."

Unabhängig davon muß andererseits betont werden, daß sowohl Husadel wie
Winter im Rahmen ihrer Möglichkeiten im Reichsluftfahrtministerium die Komposition neuer Werke für Blasorchester intensiv förderten. 1940 berichtet Winter
über Auftragswerke, die mit Erfolg aufgeführt würden[54]:

Herbert Brust: Neukuhrener Bläserspiel (Verlag Ries & Erler)
Erwin Dressel: Sinfonietta op. 49 (ebda.)
Hermann Heiß: Festliches Konzert (Vieweg)
Paul Höffer: Fliegermorgen (Kistner & Siegel)
Harald Genzmer: Fliegermusik in 3 Sätzen (ebda.)
Felix Raabe: Festmusik (Parrhysius)
Bruno Stürmer: Freier Flug (Schott)
Eberhard L. Wittmer: Sinfonische Musik (ebda.)

---

[53] P. PANOFF, *Militärmusik in Geschichte und Gegenwart*, Berlin 1938; zitiert nach der
Aufl. 1944, S. 220 f. – Zur Besetzung der Luftwaffenkapellen vgl. zudem Die Volksmusik 5,
1940, Ausg. A, S. 187–189. Auch E. LAUER, *Blasorchester im Aufbruch*, in: Die Musik 29/3,
Dez. 1936, S. 192, sieht in der Verstärkung des Holzbläser-Registers und der „Ordnung zu
Chören, die dann so viel klangliche und tonliche Selbständigkeit besitzen, daß sie sich neben
dem vollen Blechklang deutlich durchsetzen können", eine wichtige Aufgabe.
[54] G. WINTER, *Über die Musik der deutschen Wehrmacht*, in: Völkische Musikerziehung,
Berlin 1940, S. 107.

wozu später u. a. kamen:

Otto Meyer: Über den Wolken (Wilke & Co.)
Hermann Grabner: I bin Soldat, valera (Kistner & Siegel)
Bruno Stürmer: Ernste Musik (Schott)

„Man will eine arteigene, sinfonisch gehaltene, ansprechende und vom Geist unserer Zeit getragene Originalmusik für Blasorchester schaffen" (Panoff[55]). Verhandlungen mit der STAGMA führten bereits dazu, daß solche sinfonische Blasmusik nicht im Bereich „Unterhaltungsmusik" abgerechnet wurde, so daß Verleger und Komponisten entsprechend honoriert werden konnten. Zudem bemühte sich Husadel um den Druck von Partituren für die Dirigenten, die bei den bisher verlegten Blasorchesterstücken in der Regel aus 1. Flügelhorn- oder 1. Klarinettenstimmen das Orchester zu leiten hatten.

Die Situation in Österreich

Die österreichische Blasmusik der Zwischenkriegszeit ist nicht durch herausragende Persönlichkeiten oder wichtige musikalische Neuerungen geprägt. Die große Zeit der k. (u.) k.-Militärkapellen wirkt noch immer als Vorbild, dem man jedoch kaum – nicht einmal bei den Militärkapellen – gerecht zu werden vermag. Die schweizerische Entwicklung, wie sie Theo Rüdiger in der Zeitschrift der österreichischen Blasmusiker 1933 vorgestellt hat (oben, Anm. 40), wird teilweise in Vorarlberg und in Tirol mitvollzogen, doch das Kulturgefälle gegen Osten hin ist beträchtlich. Nach dem „Anschluß" Österreichs an Hitler-Deutschland im Jahr 1938 zieht Walter Kolneder Bilanz: „Von den etwa 6000 Blaskapellen des großdeutschen Reiches befinden sich nach einer Statistik der Reichsmusikkammer 1220 Kapellen, das ist ungefähr ein Fünftel, allein in der Ostmark."[56] Doch dann erfährt der Leser, daß es sich hauptsächlich um bäuerliche Kapellen handelt, denen in der Regel sechs bis zehn, in seltenen Fällen zwölf, sechzehn, zwanzig Musiker angehören. „In der bläserischen Leistung sind die Musiker eher an ihre volksmusikalische Tradition gebunden. Beim Ländler- und Polkablasen entwickeln sie manchmal eine erstaunliche Geläufigkeit, während sie bei einem viel leichteren ‚Konzertstück' vielleicht vollkommen versagen. Die Dienstzeit beim Militär wurde früher als eine ausgezeichnete Schulung für unsere Bläser hervorgehoben. Im Hinblick auf Musiziergut und Literatur wirkt sie sich freilich nicht immer günstig aus. Opernfantasien, Operettenpotpourris und Charakterstücke sind nicht selten das musikalische Ideal des Militärmusikers. Ins Dorf zurückge-

---

[55] P. Panoff, *Militärmusik in Geschichte und Gegenwart*, Berlin 1944, S. 223.
[56] W. Kolneder, *Bäuerliche Blasmusik in der Ostmark*, in: Die Volksmusik 4, 1939, S. 346–350.

kehrt besteht sein Ehrgeiz meist darin, es mit seiner Kapelle auch bald soweit zu bringen; die bodenständigen Tanzformen, im praktischen Einsatz zwar nicht zu umgehen, betrachtet er aber doch als Musik minderer Güte… Die Hauptaufgabe unserer Bauernkapellen liegt natürlich im Aufspielen zum Tanz. Aber auch bei Umzügen, beim Schützenfest, beim Feuerwehrfest, beim Einholen des Maibaumes sind sie nicht wegzudenken… Freilich ist noch viel zu wenig bekannt, daß es … Blasmusiksätze zu unseren neuen Liedern gibt" (Kolneder, S. 349 f.).

Hier zeigt sich nun nicht allein ein anderes Volksmusikverständnis, sondern wohl auch ein geradezu weltfremdes Blasmusikverständnis, das die Blaskapellen noch rigoroser, als dies bereits in der jugendbewegten Richtung Deutschlands geschehen war, in einen ländlich-volkstümlichen Bereich zurückdrängen möchte.[57] Kolneder widerspricht sich auch in bezug auf die Stärke der Kapellen, wenn er die Marschordnung erläutert: „Man marschiert in Reihen zu 6 bis 10 Bläsern, in der ersten Reihe die Flügelhörner und Klarinetten, dann die Tenöre (Baßflügelhorn, Euphonium), weiter die Begleitung und in der letzten Reihe, den Schallbecher in die Kapelle gerichtet, die Bässe. Den Abschluß macht das Schlagzeug. Diese Marschordnung ·ergibt eine mächtigere Klangfülle als die langgestreckte in Dreierreihen" (Kolneder, S. 349). Wenn schon in der ersten Reihe 6 bis 10 Musiker marschieren, wie könnte dann eine solche Anzahl die Regel-Stärke der Musikkapellen sein?

Die Aufsätze und Rezensionen in der Ausgabe A (Streich- und Blasmusik) der Zeitschrift „Die Volksmusik" spiegeln die weitere Entwicklung wider, die allerdings durch den Ausbruch des Krieges bald ihrer musikalischen Kraft beraubt werden sollte. Besonderes Augenmerk wird nun auf die Nachwuchsausbildung und die Gründung von Jugendkapellen gelegt[58], immer. wieder wird die „neue", originale Blasmusikliteratur angepriesen[59] und die historische „Turmmusik" als Bläser-Ideal vorgestellt.[60] Im Oktober/November 1943 erscheint die letzte Nummer der Zeitschrift „Die Volksmusik" die Blaskapellen sind zu dieser Zeit bereits zu „Bläsergemeinschaften" zusammengeschrumpft.[61]

---

[57] Kolneders Ausführungen sind von einem anderen Volksmusikbegriff getragen, als ihn die Reichsmusikkammer (s. o.) zu prägen versuchte. – Vgl. auch W. KOLNEDER, *Blasmusikerneuerung und Instrumentationsweise*, in: Die Volksmusik 5, 1940, Ausg. A, S. 11–16, mit praktischen Instrumentationsbeispielen.

[58] E. FISCHER, *Sorgt für Bläsernachwuchs*, in: Die Volksmusik 6, 1941, Ausg. A, S. 73 f.; H. SCHNITZLER, *Zur Frage des Bläsernachwuchses für Werkkapellen*, ebda. S. 105–107.

[59] L. BLUMBERGER, *Neue Blasmusik – ein Programm*, in: Die Volksmusik 6, 1941, Ausg. A, S. 198–201.

[60] F. REIN, *Aus der Praxis der Turmmusiken*, in: Die Volksmusik 6, 1941, Ausg. A, S. 201–203.

[61] C. HAUK, *Die Bläsergemeinschaft*, in: Die Volksmusik 8, 1943, Ausg. A, S. 37–42.

Pädagogische Idee und Wirklichkeit

Unabhängig von allen diesen Diskussionen hat sich seit den zwanziger Jahren ein Blasmusikverlagswesen entfaltet, das in seiner kommerziellen Orientierung konkreter als die Aussagen der offiziellen Musikpolitik darüber Auskunft gibt, wie es um die Literatur bei den Blaskapellen im deutschsprachigen Raum damals stand. Das im Herbst 1929 erschienene „Verzeichnis von Musikstücken, die für Preisspiele geeignet sind", herausgegeben vom Bund Südwestdeutscher Musikvereine mit dem Sitz in Freiburg im Breisgau, das Verlags- und Sortimentsverzeichnis Wilhelm Halters in Karlsruhe aus dem Jahr 1928/29 sowie der Oertel-Katalog von 1935 entsprechen der blasmusikalischen Wirklichkeit. Keines der Donaueschinger Werke ist darin verzeichnet, auch keiner der neueren englischen oder französischen Titel findet sich da. Zu den meistgekauften Ausgaben zählte „Halter's Konzert-Sträußchen", von dem 1928 zehn Folgen vorlagen. Die Besetzung lautete: Flöte in Des, Klarinette in Es, 2 Klarinetten in B, Piston in Es, 2 Pistons in B, 2 Trompeten in B oder Es, 2 Hörner in Es, 3 Tenorhörner in B, Posaune oder Bariton, Bässe und Schlagzeug. Die Hefte enthalten folgende Stücke:

Heft 1. (4. Auflage).

Marsch, Sängergruß, von M. Bienlein.
Duett für 2 Trompeten, von O. Pötsch.
Konzert-Walzer, Klänge aus dem Schwarzatal, v. Osk. Oettinger
Gavotte, Elfen und Wichtelmännchen, von C. Finke.

Heft 2. (3. Auflage).

Arie und Chor a. d. Op. „Die Regimentstochter" von Donizetti.
Marschpotpourri über deutsche Volkslieder, von L. Sauer.
Konzert-Polka, Trompeters Liebling, für Piston Solo, v. Nähring.
Lied, A. Sie, von H. Henry.

Heft 3. (3. Auflage).

Impromptu, von G. Dinser.
Gartenfest-Ouvertüre, von M. Bienlein.
Gruß an den Frühling, Lied, von M. Bienlein
Elegius Conc, Mazurka, von R. Stiebing.

Heft 4. (3. Auflage).

Fantasie, für Tenorhorn, Solo, von J. G. Dinser.
Quadrille, Vis-à-vis, von K. A. Scholz.
Marsch, Mit Mut und Kraft, von C. Finke.

Heft 5. (4. Auflage).

Largo, von G. Fr. Händel.
Konzert-Walzer, Rosen aus Persien, von R. Stiebing.
Galopp, Per Expreß, von G. Mahle.

Lfd. Nr.	Komponist	Name des Stückes	Schwierig-keitsgrad	Bemerkungen
127	Mendelssohn Felix	„Hochzeit des Gamacho", Ouverture	D	
		„Meeresstille und glückliche Fahrt", Ouverture	C	
		„Ruy Blas" „	D	
		„Sommernachtstraum" „	D	
128	Mercadante Giuseppe Saverio	„Die Vestalin" „	C	
129	Meyerbeer Giacomo	Festliche Ouverture im Marschstil	C	
		Fackeltanz Nr. 1 B-Dur	C	
		Krönungsmarsch aus der Oper „Der Prophet"	C	
		„Hugenotten" Ouverture	C	
		„Hugenotten", Schwur u. Schwerterweihe	C	
		Fantasie a. d. Oper „Der Prophet", bearbeitet von Wieprecht	D	
		Fantasie a. d. Oper „Die Afrikanerin", bearbeitet von Schmidt-Köthen	C	
		„Nordstern" Ouverture	D	
		Fantasie aus „Robert der Teufel"	C	Schmidt-Koethen
		Große Ballettmusik a. d. Oper „Robert der Teufel"	D	
130	Millöcker	„Der Bettelstudent" Ouverture	C	
131	Montagne	„Marie Henriette" „	A	auch für Blech-musik geeign.
132	Moskau	„Die nächtliche Wanderung" „	A	auch für Blech-musik *
133	Mozart Wolfg. Amadeus	„Zauberflöte" „	D	Mozart-Ouver-turen sollen nur von ganz vorzüglichen Kapellen als Preisstücke ge-wählt werden
		„Don Juan" „	C	
		„Figaros Hochzeit", Ouverture	D	
		„Schauspieldirektor" „	B	
		„Askanio in Alba" „	A	
		„Titus" „	B	
		„Idomeneo" „	B	
		„Der Schauspieldirektor" „	B	
		„Cosi fan tutte" „	C	
		„Il re pastore" „	B	
		Priesterchor und Sarastro-Arie aus „Zauberflöte"	A	
		„Die Gärtnerin aus Liebe" Ouverture	A-B	
		„Die Entführung aus dem Serail" „	C	
134	Munkelt Fr.	„Die Jagd nach dem Glück" „	A	

S. 12 des „Verzeichnisses von Musikstücken, die für Preisspiele geeignet sind", hg. vom Bund Südwestdeutscher Musikvereine, Freiburg im Breisgau, 1929.

Lfd. Nr.	Komponist	Name des Stückes		Schwierigkeitsgrad	Bemerkungen
152	Reißiger Carl Gottl.	„Yelva"	Ouverture	D	
		„Der Tannenwald"	„	A-B	
153	Reckling A.	„Schön Rothtraut"	„	B	
		Hubertus-Ouverture		B	
154	Richter B.	„Zufriedenheit"	„	A	
		Ballett-Ouverture		A	
		Fest-Ouverture		A	
155	Rosenkranz	„Wallensteins Lager"	„	C	
156	Rossini Gioachino	Arie aus: „Stabat mater"		A-B	
		„Tell"-Ouverture		D	
		„Die Belagerung von Korinth"	„	D	
		„Die Italienerin in Algier"	„	C	
		„Der Barbier von Sevilla"	„	C	
		„Tancred"	„	B	
		„Regina"	„	A	
		„Die diebische Elster"	„	D	
		„Semiramide"	„	C	
157	Rösch N.	„Olympia"	„	A	
		„Regina"	„	A	
158	Rust F. W.	Ouverture zu einem Festspiel		A	gut geeignet
159	Rossini G.	Fantasie a. d. Oper „Wilhelm Tell"		C	arr. v. A. Seidel
160	Ruediger Th.	„Baalat", Orientalische Tanzszene		C	
161	Schell Karl	„An Mozart"	Ouverture	B	
		„Sieg", Ouverture triomphale		D	
162	Schmidt H.	„Der Militärbefehl"	„	B	
163	Schneider Friedr.	Fest-Ouverture über den „Dessauer-Marsch"		B	
164	Schouten Joh. M.	„Ein Fest der Muse"	Ouverture	C	
165	Schubert Franz	Unvollendete Sinfonie in H-Moll Nr. 8		C	
		1. Satz Allegro moderato		C	
		2. Satz Andante con moto		C	
		„Rosamunde"	Ouverture	C	
		Ballettmusik aus Rosamunde		B	
		„Alfonso d'Estrella"	„	D	
		„Fierrabras"	„	B-C	
		Ouverture im ital. Stile Nr. 1		C	
		Ouverture im ital. Stile Nr. 2		C	
		Nachruf an Schubert, Phantasie		C	
166	Schumann Robert	„Manfred"	„	D	
		Larghetto a. d. B-Dur-Sinfonie		C	

S. 14 des „Verzeichnisses von Musikstücken, die für Preisspiele geeignet sind",
hg. vom Bund Südwestdeutscher Musikvereine, Freiburg im Breisgau, 1929.

Heft 6. (4. Auflage).
Die hübsche Gauklerin, Gavotte, von R. Stiebing.
Ouvertüre zum Sommerfest, von C. Finke.
Lockvögel, Konzert-Polka für 2 Trompeten, von C. Finke.

Heft 7. (4. Auflage).
Scheidegruß, „Ein Albumblatt", von K. Scholz.
Deutsches Volkslieder-Potp., von C. Finke.

Heft 8.
Konzertstück, „Zum festlichen Gelage", von L. Gärtner.
Ouvertüre, „Am Strand der Elbe", von Rob. Stiebing.
Mazurka-Caprice, „Das erste Herzklopfen", von C. Finke.

Heft 9.
Frühlingserwachen, von S. Bach.
Die Post im Walde, von H. Schäfer.
Walters Preislied, a. d. Oper Meistersinger
  von Nürnberg, von Richard Wagner.
Drei Nelken, Lied von E. Güldenstein.
Italienisches Ständchen, von L. Gärtner.

Heft 10.
Lied an den Abendstern, von Richard Wagner.
Pilgerchor aus Tannhäuser, von Richard Wagner.
Prinz Eugen, Phantasie von R. Berndt.
Behüt dich Gott, von E. Neßler.
Im Maien, Gavotte, von J. Neuhauser.

Unter den Neuerscheinungen, die Halter 1928/29 ankündet, finden sich Eigenkompositionen des Verlagsinhabers Heinrich Halter, aber auch andere Originalwerke für Blasmusik:

Andalusia-Ouvertüre, leicht - mittelschw.	v. R. Pracht
Amazonen-Ouvertüre, leicht	„ N. Rösch
Am goldenen Horn-Ouvertüre, leicht	„ H. Halter
Blütenfest-Ouvertüre, leicht	„ H. Halter
Die Goldgräber-Ouvertüre, leicht	„ W. Wolf
*Die Feeninsel-Ouv. leicht-mittelschw.	„ Frz. Meier
Escorial-Ouvertüre, leicht	„ B. Köthe
Freiheit-Ouvertüre, leicht	„ R. Bopp
Frühlingseinzug, Ouvertüre, leicht	„ Frz. Meier
Flotten-Ouvertüre, leicht	„ P. Zien
Iris-Ouvertüre, leicht	„ P. Zien
Klänge a. d. Pusta-Ouv., mittelschwer	„ R. Pracht
*Militär-Fest-Ouv., leicht-mittelschwer	„ W. Wittges
Olympia-Ouvertüre, leicht	„ N. Rösch
Regina-Ouvertüre, leicht	„ N. Rösch
Regina-Ouvertüre, leicht	„ G. Rossini
Sylvana-Ouvertüre, leicht	„ W. Wolf
Zum heutigen Feste-Ouvertüre, leicht	„ R. Stiebing

Zauber a. d. Märchenwelt-Ouv., leicht	„	H. Halter
*Am Seegestade, Walzer leicht	v.	Frz. Meier
*Deutsche Lust, „ „	„	Joh. Strauß
Heckenrosen „ „	.,	N. Rösch
Rheinwellen „ „	„	N. Rösch
*Münchner Mädl „ „	„	H. Böhm
Musikalisches Allerlei, Potp., leicht	„	J. Schultis
Heitere Tafelrunde, Lied.-Potp., leicht	„	H. Halter
Weihnachtslieder-Potpourri, leicht	„	H. Halter
Stilles Glück, Gavotte, leicht	„	Tr. v. Bernet
Priestermarsch und Arie, leicht	„	W.A. Mozart
Ländler, Großmütterchen, leicht	„	L. Langer
Fantasie ü. d. Lied: In diesen hl. Hallen leicht		W.A. Mozart
Fantasie aus Hofmanns Erzählung, leicht	„	Offenbach
Meerfahrten-Fantasie, leicht	„	M. Lüschow
***Fantasie aus Freischütz,** mittelschw.	„	M. v. Weber
Fantasie aus Lohengrin, leicht	„	R. Wagner
Steuermannslied u. Matrosenchor, leicht-		
	mittelschw. „	R. Wagner
***Vom Rhein zur Donau,** Potp., mittelschw.	„	Rode

Die mit * verzeichneten Piecen sind auch in großer Besetzung zum gleichen Preis erschienen.

Das Verzeichnis der „Novitäten" anderer Verleger weist nicht allein auf einen ausgeprägten Musikalienmarkt für Blaskapellen hin, sondern auch auf das Verhältnis zwischen Werken, die für Blasmusik komponiert, und solchen, die für Blasmusik bearbeitet worden sind. Die folgende Liste (S. 46) beschränkt sich allerdings auf Ouvertüren sowie Opern und Sinfoniewerke. Des großen Umfanges wegen werden die weiteren Gattungen aus dem Halter-Katalog 1928/29: Potpourris, Quadrillen, Walzer, Märsche, Operetten und Schlager, nicht berücksichtigt.

Diese „Wirklichkeit" fängt J. Back-Straßburg in seinem kritischen Blasmusik-Artikel in der Rheinischen Musik- und Theaterzeitung 22, 1927, S. 425, ein: „Es erscheint sonderbar, daß gerade die Spezialfirmen für Blasmusik bloß das Alt-althergebrachte führen, Auber und Rossini nehmen den Hauptteil ihrer Kataloge ein, und Werke neueren Datums befinden sich bloß ganz vereinzelt hier und da bei anderen (Orchester-)Verlagen. Ein Zeichen direkter Minderwertigkeit ist (von einigen ganz wenigen Ausnahmen abgesehen) das vollständige Fehlen von Direktionsstimmen, es wird noch heute allgemein nach einer ersten Piston- oder Klarinettenstimme mehr Takt gedroschen als dirigiert, während im Ausland [zuvor wurde auf das Vorbild Frankreichs und Belgiens verwiesen] die Partitur oder mindestens die 3–4 systemige Kondukteurstimme Selbstverständlichkeit ist. Um aber Musiker (Komponisten, Dirigenten, Instrumentisten) für diesen Zweig

Ouvertüren

Adam	Brauer von Preston
„	Die Puppe von Nürnberg
„	Die Königin für einen Tag
„	Wenn ich König wär
„	Der König von Yvetot
Auber	Fra Diavola
„	Der Feensee
„	Die Stumme von Portici
„	Der erste Glückstag
„	Des Teufels Anteil
Brahms	Tragische Ouvertüre
Brüll	Das goldene Kreuz
Bach	Jubel-Ouvertüre
Balfe	Die Zigeunerin
Baumann	Mignonette
„	Milanesse
Beethoven	Egmont
„	Fidelio
„	Die Weihe des Hauses
Bellini	Norma
Boieldieu	Die weise Dame
„	Der Kalif von Bagdad
Conradi	Berlin wie es weint u. lacht
Donizetti	Die Regimentstocher
Eilenberg	König Mydas
Flotow	Martha
„	Stradella
„	Jubel-Ouvertüre
Fucik	Marinarella
Gade	Im Hochland
Gounod	Mireille
Großmann	Geist des Wojewoden
Gluck	Jphigenie in Aulis
Herold	Volkslust-Ouvertüre
„	Zampa
Hintze	Im Walde Jagd-Ouv.
Kelér Béla	Lustspiel-Ouvertüre
„	Ungarische Lustspiel-Ouv.
„	Ital. Schauspiel-Ouvertüre
„	Spanische Lustspiel-Ouv.
Kiesler	Die Amazone
Kreutzer	Nachtlager von Granada
Kuhlau	Erlenhügel
Linke	Im Reiche des Indra
Lortzing	Undine
„	Der .Waffenschmied
„	Zar und Zimmermann
Mendelssohn	Meeresstille u. glückl. Fahrt
Meillart	Das Glöcklein des Eremiten
Meyerbeer	Die Hugenotten
Mozart	Die Zauberflöte
„	Don Juan
„	Titus
„	Die Hochzeit des Figaro
Millöcker	Der Bettelstudent
Nicolai	Die lustigen Wejber
Nehl	Ouv. mit Lobe den Herrn und Wir treten zum Beten
Offenbach	Die schöne Helene
„	Orpheus in der Unterwelt
Reissiger	Die Felsenmühle
Rossini	Regina-Ouvertüre (leicht)
„	Wilhelm Tell
„	Die Italiener im Algier
„	Die diebische Elster
„	Tancred
Schubert	Rosamunde
Suppé	Leichte Cavallerie
„	Banditenstreiche
„	Die schöne Galathe
„	Dichter und Bauer
„	Ein Morgen, ein Mittag und ein Abend in Wien
„	Pique Dame
Strauss	Die Fledermaus
„	Der Zigeunerbaron
Spohr	Jessanda
Thomas	Mignon
„	Raymond
Verdi	Nebucadnezar
Weber	Jubel-Ouvertüre
„	Oberon
„	Der Freischütz
„	Ouv. Euryanthe
Wagner	Rienzi
„	Tannhäuser
„	Meistersinger
Wiggert	Amazonenritt

Opern u. Sinfoniewerke

Auber	Fantasie aus Fra Diavolo
„	Fantasie aus die Stumme
de Albert	Fantasie aus Tiefland
Balfe	Zigeunerchor und Marsch
Bellini	Fantasie aus Norma
Floto	Fantasie aus Stradella
Gluck	Reigen selig Geister
Grieg	Peer Gynt — Suite I
Kienzl	Vorspiel und Szene 2. Akt „Evangelimann"
Liszt	Ungarische Rhapsodie 2
Meyerbeer	Fantasie aus Die Afrikanerin
„	G. Fantasie über Der Prophet
„	Fantasie über Hungenotten
Millöcker	Fantasie aus Bettelstudent
Mozart	Arie In diesen hl. Hallen
„	Priestermarsch und Arie aus der Zauberflöte
Maillart	Fantasie aus Glöckchen des Eremiten
Mendelssohn	Kriegsmarsch der Priester
„	Hochzeitsmarsch a. Sommernachtsraum
Offenbach	Fantasie a. Orph. i. d. Unterw.
Rossini	Fantasie aus Wilhelm Tell
Thoma	Fantasie a. Mignon
Wagner	Steuermannsl. u. Matrosenchor
„	Kl. Fantasie aus Lohengrin

der Kunst zu interessieren, müßte in Deutschland tatsächlich etwas grundlegend Neues geschaffen werden, vollständig unabhängig von dem bis jetzt Vorhandenen und Gewohnten, dessen Minderwertigkeit und Unvollkommenheit der deutschen Blasmusik nur zu leicht den Stempel von etwas ‚nicht ernst zu nehmendem‘, ‚kommißmäßig-dilettantischem‘ (Es-Dur-Musik) aufdrückt… Ein neues Repertoire von unzweifelhaftem musikalischen Wert kann geschaffen werden, um so mehr, als man sich das, was sich auf diesem Gebiete in anderen Ländern im Laufe von Jahrzehnten herauskristallisiert hat, auch einmal als neue Basis zu Nutze machen kann (ohne dabei in Imitation verfallen zu müssen). Bis jetzt konnte die deutsche Blasmusik wohl kaum Anspruch darauf machen, als Kulturfaktor anerkannt zu werden. Hoffentlich finden sich Mitarbeiter für alle Gebiete (Instrumentisten, Dirigenten, Komponisten, Transkripteure, Verleger und Finanzleute), um ihr endlich den Platz zu verschaffen, zu dem sie Berechtigung und Berufenheit hat.“ Back-Straßburg ist meines Wissens auch der erste, der in diesem Zusammenhang die Gründung von „Landes-Blasorchestern“ anregt, die durch ihre Vorbildfunktion das Amateurblasmusikwesen der deutschsprachigen Länder erneuern sollten.

Es sind nicht die repräsentativen Musikverlage, die die gängige Blasmusik drucken und verbreiten. Während Rudolph Erdmann, 1920 gegründet, Kistner & Siegel, seit 1923, Zimmermann, Kahnt, alle in Leipzig, sowie Henry Litolff in Braunschweig, Chr. Friedrich Vieweg in Berlin, Schott in Mainz, Bärenreiter in Kassel, Doblinger in Wien im Rahmen eines umfassenden Verlagsprogrammes einzelne Blasorchesterwerke angesehener Komponisten (u. a. des Donaueschinger Kreises und seiner jugendbewegten Nachfolger) betreuen, decken einige der bereits vor dem Ausbruch des Ersten Weltkrieges gegründeten Verlage (voran Louis Oertel in Hannover, Bellmann & Thümer bei Dresden und Halter in Karlsruhe) sowie neu entstehende Blasmusikverlage den Tagesbedarf ab: Hermann Bohne in Konstanz; der Iris-Verlag in Recklinghausen, der Westfalia-Musikverlag in Witten an der Ruhr; der Fortuna-Verlag in Dresden; der Ringeisen-Verlag in Ulm; Joh. Brussig in Algermissen; Fritz Hanusch in Forst Lausitz; Julius Gottlöber in Stolpen bei Dresden; Otto Klafft und Paul Bley in Freiburg im Breisgau; Johann Kliment, seit 1928, und Ludwig Krenn, seit 1932, in Wien; Molenaar in Wormerveer in den Niederlanden, seit 1933; Haenschl und Schiessle in Stuttgart; Fritz Hekler (Schloß-Verlag) in Heidelberg, seit 1935; E. Sugg in Böblingen; der Spreewälder-Musikverlag; der Südmark-Verlag in Stuttgart; R. Claus in Säckingen. Manche Komponisten suchten im Eigenverlag ihre Werke zu vertreiben, wie Carl Friedemann in Bern. Um die Entwicklung des Repertoires besser lenken zu können, beteiligen sich schließlich auch der Süddeutsche Musikerverband (seit 1929) und der Bund Südwestdeutscher Musikvereine (seit 1930) an der Edition neuer Kompositionen. Der „Bundes-Verlag“ in Freiburg (und beim Geschäftsführer des Bundes, Bernhard Stelz, in Emmerdingen) ging im Jahr

1937 durch Kauf an Fritz Schulz über.[61a] Auf die Schwierigkeit, die einzelnen Verlagsausgaben heute nachzuweisen, habe ich oben bereits hingewiesen. Keine Bibliothek hat diese Editionen systematisch gesammelt, selbst die Pflichtexemplare gingen nicht immer an die zuständigen Staats- und Landesbibliotheken, auch Kriegsverluste sind in Rechnung zu stellen. So bleibt vor allem die Suche nach zufälligen Restbeständen in den Archiven der Blaskapellen.[62]

Das Fazit: Die zentrale, von Berlin aus über die Zeitschrift „Die Volksmusik" gelenkte Umschichtung des Repertoires der Blaskapellen zugunsten der „jugendbewegten" Kompositionen eines Hindemith, eines Hermann Grabner, eines Paul Höffer, eines Hugo Herrmann, eines Harald Genzmer, eines Willy Schneider, eines Alfred von Beckerath, eines Eberhard Ludwig Wittmer u. a. ist in den dreißiger und vierziger Jahren nicht gelungen.[63] Eher hat die Idee Hans Felix Husadels Anhänger gefunden. Trotzdem geschah die Aufklärungsarbeit nicht vergeblich. Langsam konnte die Bearbeitungs-Literatur zurückgedrängt oder zumindest auf ein vernünftiges Maß des Möglichen reduziert werden. Aufgehen aber sollte die Saat später, mit dem Neuaufbau des Blasmusikwesens in den deutschsprachigen Ländern Mitteleuropas nach dem Ende des Zweiten Weltkrieges. Was die ältere Generation der Amateurmusiker nicht mehr goutieren wollte, hat eine jüngere Generation, die seit etwa 1950 in überraschend großer Anzahl zu den Amateurblaskapellen stieß, gerne aufgenommen, um damit für alle Schichten der Bevölkerung und auch für die Gesamtheit des musikkulturellen Lebens in der Gesellschaft akzeptabel zu werden. Der Rückfluß von im Grunde „jugendbewegten" Ideen (sehen wir von den Orchestergrößen ab) aus den USA, wo Paul Hindemith, Arnold Schönberg, Ernst Křenek, Darius Milhaud, Aron Copland, Henk Badings, Samuel Barber, Walter Piston u. a. für die Musikpädagogik an den Junior- und Senior-High-Schools sowie an den Universitäten vorbildhafte Blasor-

---

[61a] Armin SUPPAN, *Fünfzig Jahre Blasmusikverlag Schulz – 1937 bis 1987. Verlagsgeschichte – Verzeichnis der Verlagswerke und Komponisten – Thematischer Katalog*, mschr. Mag.-art.-Arbeit Graz 1987, Musikhochschule.

[62] Ein Ansatz für die Aufarbeitung der Blasmusikliteratur der Zwischenkriegszeit liegt in der Stuttgarter Zulassungsarbeit für das künstlerische Lehramt an Gymnasien von Peter JOAS: *Studien zur Geschichte der Blasmusik im 20. Jahrhundert (unter besonderer Berücksichtigung der Jahre 1920–1940)*, 1985, vor. – Eine Reihe von Magister-artium-Arbeiten, die die lokale Entwicklung einzelner Musikkapellen darstellen und deren Notenbestände bekannt machen, entsteht seit 1985 am Institut für Musikethnologie der Hochschule für Musik und Darstellende Kunst in Graz.

[63] Man vgl. dazu auch T. RÜDIGER, *Deutsche Volksmusik-Vortragsfolgen-Reformen*, in: Bundeszeitung des Bundes Südwestdeutscher Musikvereine 11, Nr. 6, 1. Juni 1934, in der ein Misch-Masch von Bearbeitungen, „Original"-Unterhaltungsstücken und Märschen als „neu" empfohlen wird, dem die „Jugendbewegten" selbstverständlich entgegentreten mußten. Verständlich – auch deshalb, daß die regionalen Blasmusikzeitschriften 1934 eingestellt werden mußten, um über eine zentrale, die offizielle Linie in jede einzelne Kapelle tragende Zeitschrift (eben „Die Volksmusik") die Entwicklung besser steuern zu können.

chesterwerke schufen, hat zudem eine neue Bewertung der Dinge auch in Europa ermöglicht.[64]

Die folgende Liste historisch wichtiger Blasorchesterkompositionen aus der ersten Hälfte des 20. Jahrhunderts vermag zu zeigen, was jeweils leistungsfähigen Blasorchestern zur Verfügung gestellt wurde. Die Diskrepanz zu den oben abgedruckten Listen deutscher Verlage und auch zur „Selbstwahlliste" des Bundes Südwestdeutscher Musikvereine aus der Zwischenkriegszeit ist offensichtlich. Man erkennt daraus, mit welcher Verzögerung jeweils Neuerungen in einem zahlenmäßig starken Bereich musikalischer (Basis-)Kultur wirksam werden.

1900	M. von Schillings, Weihechor, Frauenchor, Bläser und Harfe
1901	P. Grainger, Hill Song Nr. 1
1901–30	E. Elgar, 5 Militärmärsche; Nr. 1, op. 39, NA bearb. von A. Loritz, Rot an der Rot 1985, Rundel
1903	V. d'Indy, Marche du 76e Regiment d'Infanterie
1904/05	P. Grainger, Lads of Wamphray March
1905	R. Nováček, Sinfonietta op. 48
1906	L. Kempter, Festouvertüre
	M. Reger, Hochgieblig Haus, umragt von Baumeskronen, für Alt-Solo, gem. Chor, Bläser und Pauken
	F. Schmitt, Selamlik Divertissement, op. 48 / Marche du 163e R. I., op. 48/2
1908	J. Fučik, Marinarella-Ouvertüre (der Militärmusiktradition entsprechend, sowohl für Streich- wie für Bläserbesetzung komponiert)
1909	P. Grainger, Hill Song Nr. 2 *
	G. Holst, First Suite for Band in Es, op. 28 a *
1911	G. Holst, Second Suite for Band in F, op. 28 b *

---

[64] Es wäre daher nicht gerecht und würde der historischen Wahrheit widersprechen, wenn die vom Verf. so genannte „jugendbewegte" Richtung in der Blasmusik-Komposition allein als Bestandteil nationalsozialistischer Agitation mit Hilfe von Musik interpretiert würde. Hindemiths Idee wurde von politisch anders Denkenden aufgenommen und in deren Konzept eingefügt (vgl. dazu W. STUMME, *Wie steht die Jugend zur Blasmusik?*, in: Völkische Musikerziehung, Leipzig 1937, S. 220f.; G. KANDLER, *Zur Frage der Original- werke und Bearbeitungen für Blasorchester*, ebda. 1940, S. 270; F. K. PRIEBERG, *Musik im NS-Staat*, Frankfurt 1982, S. 269). Lastete man dies Hindemith an, so müßte man auch Elgar, Holst oder Vaughan Williams, die ebenso in ihrem Konzept einer neuen Blasorche- ster-Komposition auf vorklassische Formen und Gestaltungspraktiken sowie auf Volksmu- sikmodelle zurückgegriffen haben, als „verdächtig" qualifizieren. Zur Volksmusik-Gewich- tung der Werke Hindemiths vgl. W. SALMEN, *„Alte Töne" und Volksmusik in Kompositio- nen Paul Hindemiths*, in: 1969 Yearbook of the International Folk Music Council, 1971, S. 89–122.

1914	A. C. Gomez, Il Quarany Overture *
	G. Holst, Dirge for two Veterans, für Chor und Brass-Ensemble
	F. Schmitt, Dionysiaques, op. 62 *
1919	C. Busch, A Chant from the Great Plains
1920	D. Milhaud, 5. Symphonie op. 75, für 10 Bläser
	I. Strawinsky, Symphonie für Blasinstrumente *[65]
vor 1922	M. Koch, Religiöse Symphonie
1922	St. Jaeggi, Titanic, Boggio
1923	G. Jacob, William Byrd Suite (unter Byrd *)
	R. Vaughan Williams, English Folk Song Suite *
1924	R. Glière, Fantasie für das Komintern-Festival / Marsch der Roten Armee
	H. Grabner, Perkeo-Suite, op. 15, Kahnt, Leipzig
	L. Janáček, Mládí Suite
	B. Martinů, Concertino für Violoncello und Bläser-Ensemble
	I. Strawinsky, Konzert für Klavier und Blasinstrumente
	R. Vaughan Williams, Toccata marziale *
	K. Weill, Konzert für Violine und Blasorchester, op. 12
1924/25	E. Křenek, Symphonie Nr. 4, op. 34
1924/28	C. Friedemann, Fortuna-Ouvertüre, op. 198, Ruh
1926	P. Fauchet, Symphonie in B *[66]
	H. Gál, Promenadenmusik für Militärorchester
	P. Hindemith, Konzertmusik für Blasorchester, op. 41, Schott 1927 *
	J. Ibert, Konzert für Violoncello und Blasinstrumente, Verlag Heugel, Paris
	E. Křenek, 3 Märsche für Militärorchester, op. 44
	E. Pepping, Kleine Serenade für Militärorchester
	E. Toch, Spiel für Militärorchester, Schott
1927	E. Křenek, Intrada, op. 51 a
1928	D. Schostakowitsch, Zwei Stücke von D. Scarlatti, op. 17[67]
1929	H. Herrmann, Festmusik, Holzschuh 1935
1929/33	C. Friedemann, Das Leben ein Kampf, op. 269, Hug / Slawische Rhapsodie Nr. 2, op. 269

---

[65] T. TYRA, *An Analysis of Stravinsky's Symphonies of Wind Instruments,* in: Journal of Band Research 8, Nr. 2, Spring 1972, S. 6–39; R. J. BOWLES, *Stravinsky's Symphonies of Wind Instruments for 23 Winds. An Analysis,* ebda. 15, Nr. 1, Fall 1979, S. 32–37.

[66] J. C. MITCHELL, *P. R. M. Fauchet: Symphonie pour musique d'harmonie,* in: Journal of Band Research 20, 1985, S. 8–26.

[67] Artikel *Schostakowitsch* in Grove.

	K. Goepfart, Heldenfeier, Schuberth, Leipzig
	H. Steinbeck, Der Dorflänig, Ouvertüre, Bohne
1930	E. Elgar, Severn Suite für Brass Band *
	N. Miaskovsky, Feierlicher Marsch in B
1931	F. von Blon, Dramatische Ouvertüre, Hug
	E. Dassetto, Symphonisches Präludium, Hug
	N. Miaskovsky, Dramatischer Marsch in F
1932	O. Respighi, Huntingtower Ballad *
	A. Roussel, A Glorious Day, op. 48
	T. Serly, Symphony
1933	E. Coates, London Suite *
1933/34	F. Springer, Medea, Ouvertüre, Hug
1934/40	H.-F. Husadel, Elegische Serenade, Parrhysius
1935	E. Gutzeit, Der Flieger, Ouvertüre, NA Parrhysius 1938
1936	G. Auric, A. Honegger, J. Ibert, Ch. Koechlin, D. Lazarus, D. Milhaud, A. Roussel, Bühnenmusik zu „Le Quatorze Juillet" für Militärorchester
	B. Blacher, Divertimento op. 7, Bote & Bock
	F. Deisenroth, Deutscher Frühling, Parrhysius
	J. Rixner, Bagatelle, Ouvertüre, Ries & Erler
	T. Rüdiger, Festliche Musik
	H. Uldall, Musik für Blechbläser und Schlaginstrumente
	F. Walter, Heroische Ouvertüre, Oertel
1936/37	F. Hekler, Festlicher Ruf und Fuge, Schloß-Verlag 1940
	S. Prokofiev, 4 Märsche op. 69 / Kantate zum 20. Jahrestag der Oktober-Revolution, op. 74
1937	F. Deisenroth, Von den Bergen, Parrhysius
	G. Glière, Feierliche Ouvertüre zum 20. Jahrestag der Oktober-Revolution, op. 72
	P. Höffer, Festliche Ouvertüre, Vieweg
	D. Milhaud, Grands feux, op. 182
1938	H. Ambrosius, Festliches Vorspiel
	H. Grabner, Burgmusik / Firlefei-Variationen, beide Kistner & Siegel
	H. Heiß, Heide, Moor und Waterkant, Vieweg 1941
	H. Herrmann, Süddeutsche Dorfmusiken, Kistner & Siegel
	P. Höffer, Fliegermusik, Kistner & Siegel
	H. Schmidt, Romantische Ouvertüre, Orchestrola 1952
	E. Williams, Symphony in C Minor
1939	H. Ambrosius, Feierabend / Fünf Stücke für Blasmusik
	F. Brase, Irische Lustspiel-Ouvertüre
	E. Gutzeit, Aufstieg, Ouvertüre, Parrhysius

P. Höffer, Fliegermorgen, Kistner & Siegel
W. Koester, Goldene Jugend, Ouvertüre, Halter
F. Martin, Du Rhône au Rhin, Marsch
B. Martinů, Feld-Messe für Bariton-Solo, Männerchor, Bläser und Schlagzeug
N. Miaskovsky, Symphonie Nr. 19, op. 46
F. Schmitt, Hymne funèbre für Chor und Blasorchester
W. Schneider, Notzinger Dorfmusik, Vieweg, NA Schott 1956
G. Scholz, Präludium
B. Stürmer, Freier Flug, op. 106, Schott

1940 A. von Beckerath, Heitere Suite, NA Schott
F. Deisenroth, Ernste Musik, op. 34, Oertel
E. Dressel, Sinfonietta, op. 49, Ries & Erler
H. Genzmer, Kleine Bläsersinfonie, Erdmann
H. Grabner, Concerto grosso, NA Erdmann 1959
E. Gutzeit, Deutsche Rhapsodie, Parrhysius
J. Moerenhout, 2. Orchester-Suite, Molenaar 1952
W. Schneider, Festliche Musik für Bläser

1941 J. Aschenbrenner, Heitere Bläsersuite
A. Copland, An Outdoor Overture *
H. Genzmer, Musik für Luftwaffenorchester, Kistner & Siegel
M. Gould, Jericho Rhapsody *68
H. Grabner, I bin Soldat valera, Variationen für Luftwaffenorchester, Kistner & Siegel
P. Höffer, Heitere Bläsersinfonie, Kistner & Siegel
W. Kaiser-Eric, Corsische Suite, Imperator Musikverlag, heute Woitschach
N. Miaskovsky, 2 Märsche in F und f, op. 53
E. Schiffmann, Tanzrondo
B. Stürmer, Tänzerische Musik
L. Wittmer, Suite, Schott

1942 A. von Beckerath, Sinfonie
P. Höffer, Fliegermorgen
N. Miaskovsky, Ouvertüre g, op. 60
D. Schostakowitsch, Marsch
B. Stürmer, Heitere Musik

---

68 J. B. MULLINS, *M. Gould: Symphony for Band,* in: Journal of Band Research 4, Nr. 2, Spring 1968, S. 24–35; ebda. 5, Nr. 1, Fall 1968, S. 29–47.

	F. Walter, Kleine Suite für Bläser und Pauken, Kistner & Siegel
	E. L. Wittmer, Rondo / Sinfonische Musik, Schott
1943	S. Barber, Commando March *
	A. Khatschaturjan, Armenische Tänze *
	A. Schönberg, Thema und Variationen, op. 34 a *[69]
1944	D. Milhaud, Suite française op. 248 *
1944/45	R. Ward, Jubilation Overture *
1946	M. Gould, Ballad *
	P. Huber, Romantische Konzertouverture, Milgra
	D. Milhaud, 2 Märsche, op. 260
	M. Poot, Mouvement symphonique, Buyst
	F. Wright, Preludio marziale, Boosey and Hawkes
1947	E. Ball, Akuatan. An Egyptian Legend für Brass Band
	F. Hekler, Konzert in c für Akkordeon und Blasorchester, Schloß-Verlag 1962
1947/48	P. Huber, Helveticus, Patriotische Ouvertüre, Milgra
1948	P. Kühmstedt, Ouvertüre zum Märchenspiel „Der Binsen-michel", Bauer
1949	A. Khatschaturjan, Die Schlacht von Stalingrad

C. Seit 1950: Ein internationales Repertoire an Blasorchesterwerken entsteht

„Today, more than at any other time in its history, the central problem of the band is its repertoire" (R. F. Goldman, S. 193).

In den vorstehenden Abschnitten konnte gezeigt werden, wie die zivilen Blaskapellen des mitteleuropäischen Raumes als Abbilder der Militärkapellen entstanden sind, sich jedoch zum Unterschied von diesen in der Regel auf reine Bläser-Schlagzeugbesetzungen beschränken mußten. Werfen wir einen Blick in die Gründungsprotokolle der zivilen Blaskapellen, so stehen am Beginn zumeist ehemalige Militärmusiker, die traditionelle Brauchtums- und Tanzmusikgruppen in geregelte Klein-Orchester überführten, die Unterricht erteilten und die das Repertoire nach ihren Erfahrungen bei der Militärkapelle aufbauten.[70] Die Stärke

---

[69] W. SCHMIDT-BRUNNER, A. Schönbergs „pädagogische" Musik: Suite für Streichorchester (1934) und Thema und Variationen für Blasorchester op. 43 A (1943), in: Alta musica 8, 1985, S. 227–237.

[70] Die in den letzten Jahren erschienenen regionalen Blasmusikgeschichten bezeugen dies: E. EGG und W. PFAUNDLER, Das große Tiroler Blasmusikbuch, Wien u. a. 1979; E. BRIXEL und W. SUPPAN, Das große Steirische Blasmusikbuch, Wien u. a. 1981;

der Militärorchester lag bei sechzig bis etwa einhundert Mann, die zudem auf eine gute Ausbildung verweisen konnten. Die zivilen Blaskapellen spielten anfangs mit zwölf, sechzehn, zwanzig, nur in seltenen Fällen (im Stadtmusikbereich und im Zusammenhang mit paramilitärischen Schützen- und Bürgerwehrformationen) mit dreißig bis vierzig Mann. Von einer geregelten Musikausbildung der Mitglieder kann kaum gesprochen werden. Daraus ergibt sich das Dilemma: Hatten die Militärorchester durchaus die Zustimmung eines Richard Wagner, eines Liszt, eines Berlioz, eines Rossini, eines Rimsky-Korsakov, eines Brahms usf. finden können, wenn sie Wagner, Liszt, Berlioz, Rossini, Rimsky-Korsakov, Brahms spielten, so mußte die „Meistersinger"-Ouvertüre, von der zwölf bis sechzehn Mann „starken" Dorfkapelle in Hintertixbichl „dargeboten", bald den Widerwillen jedes Musikkenners erregen. Und dieser Widerwille verstärkte sich in der beginnenden Radio- und Schallplattenzeit, eben durch den nun jedem Menschen möglichen Vergleich mit den Musikproduktionen professioneller Orchester. Von daher stammt die – begreifliche – musikalische und letztlich gesellschaftliche Abwertung und Geringschätzung der zivilen Blasmusik (= die zur „Musik der armen Leute" wurde).

Daß diese Qualifikation nicht in den Musikern sondern in der Literatur, die diese Musiker nicht zu bewältigen vermochten, ihre Wurzel hat, erkannten in den zwanziger Jahren in Deutschland Paul Hindemith und Hermann Grabner. Und beide meinten, daß jeder Komponist in diesem Zusammenhang Verantwortung trage. Es müßte eine befriedigende Aufgabe sein, eine amateurgerechte Musik zu schreiben.[71] Adorno widersprach in der „Kritik des Musikanten" später dieser Denkweise.[72] Doch Hindemiths und Grabners Konzept erwies sich in seiner kulturpolitischen Dimension als sinnvoll, notwendig – nicht allein für das Amateurmusizieren, sondern für die Gesamtheit der Musikkultur; weil nur aus einer

---

W. DEUTSCH, *Das große Niederösterreichische Blasmusikbuch*, Wien 1982; K. BIRSAK und M. KÖNIG, *Das große Salzburger Blasmusikbuch*, Wien 1983; E. BRIXEL, *Das große Oberösterreichische Blasmusikbuch*, Wien 1984; E. SCHNEIDER, *Blasmusik in Vorarlberg*, o. O. 1986; W. SUPPAN, *Blasmusik in Baden. Geschichte und Gegenwart einer traditionsreichen Blasmusiklandschaft*, Freiburg im Breisgau 1983 (mit weiterer Lit.); W. BIBER u. a., *Die Geschichte der Blasmusik im Kanton Uri*, (Altdorf) 1981; G. MILANI, *Le bande musicali della svizzera italiana*, Band 1, Agno (1981); Chr. BOS und E. JANS, *Het grote Muziek & Showboek*, 's-Hertogenbosch 1985; G. ANDERSSON, *Bildning och Nöje. Bidrag till studiet av de civila svenska Blasmusikkarerna under 1800-talents hälft*, Uppsala 1982 (Acta Universitatis Upsaliensis. Studia musicologica Upsaliensia. Nova Series 7).

[71] P. HINDEMITH, *Forderungen an den musikalischen Laien*, in: Der Weihergarten (Verlag Schott, Mainz) 1, 1931, S. 59 ff.; ders., *Komponist in seiner Welt. Weiten und Grenzen*, Zürich 1959 (dt. Übers. von Composer's World, Cambridge Harvard University Press 1952).

[72] Th. W. ADORNO, *Kritik des Musikanten*, in: ders., *Dissonanzen. Musik in der verwalteten Welt*, 6. Aufl., Göttingen 1962 (Kleine Vandenhoeck-Reihe 28/29), S. 62 ff.

breiten Basis, aus einer frühzeitig und alle Schichten der Bevölkerung erfassenden Begabtenauslese und Förderung Spitzenleistungen zu erwarten sind.[73]

Die Uraufführungen im Rahmen der Donaueschinger Musiktage 1926 sollten auslösendes Moment sein. Neben der – weiterhin – vorbildhaften Wirkung der Militärkapellen (Hindemith konnte in Donaueschingen nur auf das Können einer Militärkapelle zurückgreifen) trat ab nun der Blick auf Komponisten, die den Amateurblaskapellen eine ihnen gemäße, eine ihnen „eigene" Musik geben wollten – um ihnen damit eine eigenständige Entwicklung im Rahmen der Gesamtkultur eines Landes zu ermöglichen. Zögernd zwar, weil im Widerstreit mit einem falsch verstandenen Traditionalismus, aber doch konsequent – und nach dem Ende des Zweiten Weltkrieges um die Erfahrungen aus der US-amerikanischen Entwicklung bereichert, begannen die Blasmusikamateure, sich mit der neuen „originalen" Blasorchesterliteratur anzufreunden. Ein Prozeß, der in den einzelnen Ländern und Landschaften unterschiedlich weit gediehen und noch nicht überall abgeschlossen ist.[74]

Dabei ist folgendes Phänomen zu beobachten: So wie die national gewichteten Jugendbewegungen der Vor- und Zwischenkriegszeit (vom „Wandervogel" bis zu den Kuhlo-Posaunenchören) in internationalen Jugendbewegungen aufgehen, wie das „deutsche" Lied im „Zupfgeigenhansl" und in den Schulliederbüchern nun von Liedern aus vielen Ländern und aus allen Kontinenten abgelöst wird – die Jugend erwandert sich nicht mehr singend die unmittelbare Heimat, sondern sie reist mit der Eisenbahn, mit dem Flugzeug flöte- oder gitarrespielend von Stadt zu Stadt, – ebenso gewinnt das zunächst national semantisierte Repertoire an originalen Blasorchesterwerken nun eine internationale Dimension.[75] Regionale Volksliedbegeisterung wandelt sich zu internationalem Folklorismus. Blaskapellen spielen japanische und koreanische, indianische und irische Weisen in symphonisch angelegten Fantasien und Rhapsodien. Im Werkverzeichnis Ernest Majos, das dieser Schrift beigegeben ist, nimmt die „Folkloristische Musik" einen beträchtlichen Platz ein.

---

[73] W. SUPPAN, *Die biologischen Grundlagen und kulturellen Möglichkeiten der Talenteförderung im Bereich der Musik, mit besonderer Berücksichtigung der Situation bei den Amateurblasorchestern in Mitteleuropa*, in: Federhofer-Festschrift, Tutzing 1987, im Druck. (Vorabdruck, gekürzt und ohne Anmerkungen, in: Die Blasmusik, 36, 1986, S. 1f. und 37f.)

[74] Dazu grundsätzlich W. SUPPAN, *Amateurmusik*, in: In Sachen Musik. In Verbindung mit dem Deutschen Musikrat hg. von S. ABEL-STRUTH u. a., Kassel 1977, S. 97–105, Neuauflage (1986) in Vorb.; K. BLAUKOPF u. a., *Kultur von unten. Innovationen und Barrieren in Österreich*, Wien 1983.

[75] Vgl. dazu *Grundschriften der deutschen Jugendbewegung*, hg. von W. KINDT, Düsseldorf–Köln 1963, S. 204–206 (F. Jöde: *Die neue Musik-Gesinnung*); *Die deutsche Jugendbewegung 1920 bis 1933. Die bündische Zeit*, hg. von W. KINDT, Düsseldorf–Köln 1974, bes. S. 1624–1671.

Das bedeutet aber nicht, daß auch die Blasorchesterstärken und Besetzungen einander angeglichen wurden. In diesem Bereich bleibt Traditionsbewußtsein erstrebenswert. Und die Komponisten und Blasmusikverlage nehmen darauf Rücksicht, indem die Instrumentation und Stimmenausstattung den süddeutsch-österreichischen, schweizerischen, Benelux-, französischen, englischen, skandinavischen und US-amerikanischen Eigenheiten angepaßt werden kann. Wenn heute von einer „Weltmusikkultur" die Rede ist, in der alle regionalen Kulturen dieser Erde (die Verhaltensforschung zählt dreitausend historische und gegenwärtige Kulturen[76]) aufgehen sollten und in der es nur eine Einheits-Blasorchesterbesetzung geben würde, dann erinnere ich mich an die Worte meines Lehrers Viktor von Geramb im Institut für Volkskunde an der Universität Graz: „Wir glauben, und wir sehen uns darin mit den führenden Staatsmännern des In- und Auslandes eines Sinnes: Auch in einem vereinigten Europa wird man das Fließen jener [kulturellen] Ströme nicht unterbinden dürfen. Im Gegenteil, man wird dann die inständige Kenntnis und Pflege der volkstümlichen Besonderungen noch stärker fördern müssen als heute, befreit von jeglicher Politik. Täte man es nicht, so würde sich ein lebensferner Völkerbrei ergeben, der von vornherein tot geboren wäre. Was anzustreben ist, kann nur ein lebensvoller Organismus politisch und wirtschaftlich verbundener Völker und Staaten sein, eine *Familie von Völkern*, von denen jedes geschulte und treue Wächter zur Hut und Pflege seiner Volkskulturen wird aufstellen müssen. So wie es schon Johann Gottfried Herder vorausgesagt hat, kann nur aus dieser der Politik abgewandten Kulturpflege die unerläßliche gegenseitige Achtung und Liebe nicht nur für die eigene, sondern auch für die benachbarte Volkskultur gewonnen werden. Und eine wissenschaftlich gegründete Volkskunde wird dabei Pate stehen müssen."[77] Also: hüten wir uns vor dem Einheitsbrei „Weltmusikkultur" ebenso wie vor dem Einheitsblasorchester, der Einheitsbesetzung, der Einheitspartitur...

Die Neugründung der Blasmusikverbände in der Bundesrepublik Deutschland und die Bläserschule am Hochschulinstitut für Musik in Trossingen

Der Donaueschinger Ansatz aus dem Jahr 1926 und die damals ausgelöste jugendbewegte Idee der Original-Blasmusikkomposition hat sich in zwei Richtungen hin entwickelt:

1. Emigranten führten diese Gedanken in den USA weiter und bereicherten damit die dort bereits seit Grainger und Busch gepflegte Literatur für „Symphonic

---

[76] E. WINKLER und J. SCHWEIKHARDT, *Expedition Mensch. Streifzüge durch die Anthropologie,* Wien–Heidelberg 1982, S. 9.
[77] V. (von) GERAMB, *Volkskunde in Lehre und Leben,* in: Die Steiermark – Land, Leute, Leistung, hg. von B. SUTTER, Graz 1956, S. 378.

Band", die vor allem im pädagogischen Konzept der Junior- und Senior-High-Schools sowie der Colleges und der Universitäten künftig einen bedeutsamen Platz einnehmen sollte.

2. Während die konventionellen, in Blasmusikverbänden organisierten zivilen Blaskapellen des mitteleuropäischen Raumes zunächst die Donaueschinger Initiative nicht wahrnahmen (die Blasmusik-Zeitschriften berichteten nicht darüber), verbreitete sich die Kenntnis davon seit 1936 durch die neue Zeitschrift der Reichsmusikkammer „Die Volksmusik". Dann kam der Bruch. Die Amateurkapellen stellten ihren Probenbetrieb ein, viele Musiker kehrten aus dem Krieg nicht mehr zurück. Die jüngere Generation, die um die Neugründung der Blaskapellen in Stadt und Land nach 1945 sich bemühte, stand der „neuen", originalen Blasmusikliteratur aufgeschlossen gegenüber; zumal auch bald ein gewisser Rückfluß der jugendbewegten Ideen aus den USA sich bemerkbar machte.

Seit 1949/50 ermöglichten die Besatzungsmächte die Wiedergründung der überregionalen Blasmusikverbände und Bünde.[78] Dabei erwies es sich als Glücksfall, daß Guido Waldmann im Jahr 1952 zum Direktor des Hochschulinstitutes für Musik in Trossingen bestellt wurde, um dieses Institut im Sinne einer „Hochschule für Musikerziehung" auszubauen. Waldmann, 1926 bis 1937 als Lehrer für Musiktheorie am Seminar des Reichsverbandes Deutscher Tonkünstler und Musiklehrer in Berlin tätig, hat sich in diesen Jahren – nach eigenen Worten – „mit den Gedanken einer modernen Musikpädagogik, wie sie sich vor allem durch die Begegnung mit Hans Mersmann und mit den Vertretern der deutschen Jugendmusikbewegung ergab", intensiv auseinandergesetzt. Ausführlich formulierte Waldmann seine Ideen 1963, im Rahmen eines Vortrages vor der Jahrestagung der Arbeitsgemeinschaft der Volksmusikverbände in Saarbrücken: „Alle unsere Bemühungen um den musizierenden Menschen werden aber, auf die Dauer gesehen, vergeblich bleiben, wenn wir uns nicht endlich entschließen, weit entschiedener als es bisher geschehen ist, den Wertstandpunkt zu vertreten. Immer noch hört man die Ansicht, es sei letztlich doch nicht so wichtig, was gesungen, was musiziert würde, allein entscheidend sei die Tatsache, daß überhaupt gespielt und gesungen wird. Demgegenüber muß mit aller Entschiedenheit festgehalten werden, daß jede erzieherische Tätigkeit, jedes künstlerische Bemühen nur dann als solches gewertet werden kann, wenn es aus der Verantwortung dem Menschen und dem Kunstwerk heraus geschieht... Jeder, der aufmerksam

---

[78] Dazu ausführlich W. SUPPAN, *Blasmusik in Baden. Geschichte und Gegenwart einer traditionsreichen Blasmusiklandschaft*, Freiburg im Breisgau 1983. – Vgl. auch ders., *Der Anteil ostdeutscher Musiker am Neuaufbau des Blasmusikwesens in der Bundesrepublik Deutschland*, in: Jahrbuch für ostdeutsche Volkskunde 20, 1977, S. 244–262; Kurzfassung in: Die Blasmusik 29, 1979, S. 145–147.

beobachtet, was dem musikalischen Laien an Literatur angeboten wird, jeder, der
einmal in der Jury eines Kompositionswettbewerbes tätig war, weiß um die vielen
durchschnittlichen, mäßigen und erbärmlich schlechten Kompositionen, die von
unseren Gernegroßen und musikalischen Flickschustern angefertigt werden...
Die Ausbildung von Musikern und Musikerziehern sollte viel stärker als gemein-
hin üblich von dem Gedanken bestimmt sein, daß nur die Verbindung von
künstlerischen Maßstäben mit pädagogischen Gesichtspunkten und einer Einsicht
in die sozialen Erfordernisse unserer Gegenwart uns die Fachkräfte geben kann,
die unser Musikleben in seiner Gesamtheit – nicht nur in der schmalen Spitze –
braucht."[79]

In Trossingen richtete Waldmann eine Fachschule für Bläser ein, übertrug 1953
deren Leitung Willy Schneider – mit dem speziellen Auftrag, den Neuaufbau des
süddeutschen Blasmusikwesens zu beachten. Schneider erfüllte im Deutschen
Volksmusikerbund von 1954 bis 1959 die Funktion des Jugendreferenten. Im Jahr
1957 kam Hermann Regner als Dozent nach Trossingen. Als gebürtiger Allgäuer,
der in München mit einer volksmusikalischen Arbeit über die taktwechselnden
Tänze im schwäbischen Ries promoviert hatte, sah er in der Loslösung der
„Singkreise" vom traditionellen Männer- und gemischten Chorwesen ein Vorbild
für die Blasmusik. Regner sprach „in Anlehnung an den durch die Jugendmusikbewegung geprägten Begriff vom Singkreis ... vom Bläserkreis... Damit wird
abgegrenzt einerseits gegen das Bläserensemble, das vorwiegend aus Berufsmusi-
kern besteht und seine Aufgabe im Konzertieren sieht, und andererseits gegenüber der Blaskapelle, die in einer ganz bestimmten gesellschaftlichen Funktion
ihren musikalischen Dienst tut. Der zweite Teil des Wortes – ,Kreis' – will auch
andeuten, daß die Zugehörigkeit zur Gruppe nicht durch Engagement und
Vertrag geregelt wird, sondern daß menschliche Bindungen jene Atmosphäre
schaffen, in der gemeinsames Musizieren reifen und wirken kann."[80]

Zu den ersten Schülern Schneiders in Trossingen zählte Rudolf Siebold, der von
1955 bis 1966 im Bund Deutscher Blasmusikverbände das Amt des Jugendreferenten und 1968 bis 1976 das des Bundesmusikdirektors einnahm. Zwar nicht
Trossinger, aber doch von den pädagogischen Bewegungen der Zwischenkriegszeit geprägt und daher im Sinne der Trossinger tätig, ist Fritz Thelen, der sich in
Lindenberg im Allgäu niederließ und von dort aus (seit 1956 als Jugendreferent) in
den Bayerischen Blasmusikbünden neue Gedanken einpflanzte.

---

[79] Über *Waldmann* vgl. den Artikel in: Die Musik in Geschichte und Gegenwart 14,
1968, Sp. 148f. – Der o. g. 1963er-Vortrag ist abgedruckt in: Allgemeine Volksmusik-
Zeitung 13, 1963, S. 143–147, Zitat S. 145.
[80] H. REGNER, *Die Blasinstrumente in der Jugendarbeit*, Wolfenbüttel – Zürich 1964,
S. 36.

Mit Willy Schneider, der uns bereits 1939 als Komponist der „Notzinger Dorfmusik" im Kreis der jugendbewegten „Aufklärer" begegnet ist, fließen die musikalischen Anregungen des Hindemith-Kreises unmittelbar in den Neuaufbau dieses süddeutschen Blasmusikwesens ein. Fritz Thelen formulierte dies so: „Heute erst wird voll übersehbar, wie bestimmend Hindemith für eine ganze Generation von Musikern geworden ist… Und es ist nahezu grotesk, daß seine Wirkung – die verhindert werden sollte – in Deutschland am deutlichsten wurde, als er Europa schon verlassen hatte"[81], um damit auf das Wirken Willy Schneiders zu verweisen, der in die „Blasmusikerneuerung … die schöpferischen und praktischen Prinzipien des redlichen Handwerks einfließen ließ, um ihr die Selbst-Definition und die Ortsbestimmung im Kulturleben zu erleichtern" (ebda.).

Damals gerann auch die Idee des „Cantare e sonare", des Zusammenwirkens von Bläser- und Chorgruppen.[82]

Schneiders Vorstellungen von zeitgemäßer und amateurgerechter Blasmusik sind an den Kompositionen abzulesen, die in der von ihm betreuten „Werkreihe für Bläser" des Mainzer Schott-Verlages sowie in der von ihm mitherausgegebenen „Aulós"-Reihe des Möseler-Verlages in Wolfenbüttel und Zürich veröffentlicht wurden. An Orchesterwerken finden sich bei Schott (Der Bläserkreis, Reihe C) u. a. von Schneider selbst die „Festliche Musik" op. 37, die „Ländlerische Musik in Rondoform", op. 71, die „Schwäbische Tanzfolge", die Suite „Ein Sommertag" und die „Sonthofer Stadtfanfare", sowie von Hermann Regner die „Spielmusik aus Schwaben" und von Peter Seeger das „Concerto grosso". Diesen Werken ist das Bemühen um volksliedhafte Thematik und Rhythmik sowie um eine tonale, klar durchhörbare Harmonik mit leichten Ansätzen zu polyphoner Gestaltung eigen. Den Blasmusikern und ihrem Publikum sollte der Übergang zu dieser Musik offensichtlich leicht gemacht werden. Die 1956 gedruckte „Schwäbische Tanzfolge" Schneiders trägt den Untertitel „zum Spielen und Tanzen" – und beginnt im Stil einer konventionellen, marschartigen Spielmusik:

---

[81] F. Thelen, *Willy Schneider – Eine Monographie*, in: Alta musica 1, 1976, S. 311–319, Zitat S. 318.

[82] E. Oberborbeck, *Zusammenwirken des instrumentalen und chorischen Volksmusizierens in Theorie und Praxis*, in: Allgemeine Volksmusik-Zeitung 13, 1963, S. 162–165. „Cantare e sonare" konnte leider kaum im Bewußtsein der Chor- und Blasmusikdirigenten verankert werden, obgleich darin sowohl musikalisch wie gesellschaftlich große Möglichkeiten liegen (wie das 2. Festkonzert des 5. Internationalen Jugendkapellentreffens in Karlsruhe 1987 erneut gezeigt hat; vgl. Die Blasmusik 37, 1987, S. 201 ff.). Vgl. auch O. Ulf, *Cantare et sonare*, in: Die Blasmusik 21, 1971, S. 26 f.; F. Thelen, *Cantare et sonare 1979*, ebda. 29, 1979, S. 203; W. Suppan, *Blasmusik und Chorwesen*, in: Die Blasmusik 30, 1980, S. 233 f., ebda. 31, 1981, S. 125 f.

Hermann Regners „Spielmusik aus Schwaben" aus dem Jahr 1954 bewegt sich im Schein des Melodisch-Bekannten:

Der Zugang zur Musiksprache der Gegenwart wird im Bereich der Bläserkammermusik gesucht. Der Trossinger Kreis fördert das „Spiel in kleinen Gruppen" innerhalb der Blaskapellen, um die Jugend nicht allein besser auf ihre Aufgabe im Orchester vorzubereiten, sondern um damit neue Klänge und Kompositionstechniken bewußt zu machen. Die Aulós-Reihe wird mit einer Klarinetten-Fassung der Mozart'schen Kegelduette eingeleitet, doch neben die Neufassungen Alter Musik, vor allem der Renaissance und des Barock, treten regelmäßig Neukompositionen von Schneider, Regner, Pfannenstiel, Allers, Werdin, Schilling, Köll, Beckerath, Mutter, Zipp, Brixel, Koch u. a., die die Hindemith-Nachfolge nicht verleugnen, ja sogar atonal-serielle Techniken aufgreifen, wie Konrad Stekl in der „Kleinen Duo-Musik für zwei Klarinetten".[83]

Willy Schneider weiß auch, daß die Umsetzung der Reformbestrebungen nur über die Blasmusikverbände erfolgen kann. So stellt er sich 1954 bis 1959 als Jugendreferent dem Deutschen Volksmusikerbund zur Verfügung. Das Einfließen der neuen Literatur in das Repertoire der Amateurkapellen wird 1956 deutlich, als der Bund Deutscher Volksmusikverbände (der heutige Bund Deutscher Blasmusikverbände) eine Selbstwahlliste für Wertungsspiele drucken läßt. Hermann Freybott, in diesem Bund für die musikalische Arbeit verantwortlich, trennt Originalwerke von Bearbeitungen und betont in diesem Zusammenhang, daß alle Kapellen es als ihre vornehmste Aufgabe betrachten sollten, bei Wertungsspielen ausschließlich Originalkompositionen aufzuführen. So gelingt es, über die Wertungsspiele die Kompositionen Schneiders, Regners, Beckeraths, Wittmers, Lotterers, der Schweizer Blon, Jaeggi, Königshofer, der Österreicher Ploner, Tanzer, des Holländers Boedijn in das Repertoire leistungswilliger Orchester einzupflanzen. Schüler Schneiders, voran Rudolf Siebold am Hochrhein, trugen die Aufbruchstimmung in die regionalen Verbände hinein.

Eine erste Bilanz erfolgt 1966, als die Arbeitsgemeinschaft der Volksmusikverbände zu den Jugend-Bläsertagen nach Sindelfingen einlädt. Fritz Thelen spricht

[83] W. SUPPAN, *Möglichkeiten und Chancen einer Fux-Renaissance – vor allem im Bereich der Bläsermusik,* in: Alta musica 9, 1987, S. 201–212.

dort über „Die Blasmusikverbände – ihre Aufgaben und Ziele in unserer Zeit". Er analysiert schonungslos die nicht immer erfreuliche Geschichte der ländlichen Blaskapellen und vermerkt die jahrelangen Aufklärungsbemühungen und den „vorsichtigen Gewöhnungsprozeß", die allmählich das Bewußtsein für musikalische Werte wachsen ließen, so daß sich nun auch namhafte Komponisten bereit finden würden, für das Blasorchester zu schreiben. Doch der „schwierige und oft schmerzhafte Prozeß der Selbstreinigung in der Blasmusik ist bis jetzt noch immer unabgeschlossen, er muß unter den wichtigsten Aufgaben und Zielen der Blasmusikverbände genannt werden. Die Ausschreibung von Komponistenwettbewerben, die Zusammenstellung von Literatur-Verzeichnissen, ständige Informationen über neues Spielgut, Lehrveranstaltungen und Beispielkonzerte bewirken eine konsequente Hinführung der Blasmusikkapellen zu artgerechter und wertvoller Literatur."[84]

Willy Schneiders Sindelfinger Vortrag von 1966 ist gekennzeichnet vom Zwiespalt einer übermächtigen Hypothek: „... die ganze Erneuerungsbewegung in der Bläserei ist ein Kampf gegen den Kitsch! Geschäftstüchtige Verleger verbreiten ihn nicht nur, ja sie überschwemmen die Kapellen geradezu damit", – und der Hoffnung, daß die Jugend den Anschluß an die Musiksprache der Gegenwart finden würde. Diejenigen, die nicht glauben wollten, daß die Zeit des „Tanzenden Teddybären" und der „Posaune bei guter Laune" vorüber sei, würden sich zunehmend der Lächerlichkeit preisgeben. „Sind es denn zehntausende von musikliebenden Menschen nicht wert, daß sie bessere Literatur bekommen?"[85] Die seit 1965 auch für Bläsergruppen offenen „Jugend musiziert"-Wettbewerbe boten eine weitere Chance, die Bläserjugend an die Tendenzen der allgemeinen Musikpädagogik heranzuführen. „Vor wenigen Jahren wäre es aus Mangel an geeigneter Literatur noch unmöglich gewesen, solche Wettbewerbe für Bläser durchzuführen ... Aber von Jahr zu Jahr werden die Kataloge etwas reichhaltiger, um endlich genügend Spielgut zu erhalten, und zwar in den verschiedenen Schwierigkeitsstufen. Vielleicht interessieren sich im Laufe der Zeit auch noch mehr junge Komponisten für unsere Belange? Vielleicht lehrt die eine oder andere Musikhochschule in den Kompositionsklassen, wie man für Bläser schreibt? Fast alle versuchen Sinfonien, Opern und Konzerte zu schreiben, wobei von tausend

---

[84] F. THELEN, *Blasmusikverbände – ihre Aufgaben und Ziele in unserer Zeit*, in: Grundfragen des bläserischen Musizierens der Jugend in unserer Zeit, hg. von R. STAPEL-BERG und W. SUPPAN, Trossingen/Freiburg i. Br. 1966, S. 6–13, Zitat S. 10; desgl. in: Allgemeine Volksmusikzeitung 16, 1966, S. 150–152. Zum pädagogischen Aspekt vgl. auch E. KLUSEN, *Blasinstrumente und Blasmusik in der allgemeinen Musikpädagogik*, in: Allgemeine Volksmusik-Zeitung 18, 1968, S. 240–243; P. KUEN, *Wie ich zur Blasmusik kam und was ich dabei erlebte*, Sulzberg/Allgäu 1961.
[85] W. SCHNEIDER, *Originale Blasmusik*, in: Grundfragen..., wie Anm. 84, S. 38–44, Zitate S. 38 und 40; ders., *Handbuch der Blasmusik*, Mainz 1954.

kaum einer eine Chance hat. Aber da, wo echte Chancen sind, fehlen die nötigen Kenntnisse" (Schneider, S. 40f.).

Besonders kritisch betrachten die Trossinger den Bereich der Bearbeitungen: „Nun geschieht das, was wir schon vor eineinhalb Jahrzehnten landauf, landab gepredigt haben, nämlich das Öffnen des Sumpfes der Bearbeitungen, Idyllen des 19. Jahrhunderts zugunsten einer arteigenen Originalliteratur. Und zwar in der rückläufigen Richtung hin zur alten Bläsermusik der Renaissance und des Barock, in der anderen Richtung hin zur Moderne. Und erst wenn genug Literatur vorhanden sein wird, von der einen sowohl wie von der anderen, wird eine Zeit kommen, in der man die Bläserei genau so ernst nehmen wird, wie jede andere Art des Musizierens. Bei den Wertungsspielen erklingen ja allmählich fast nur noch originale Stücke. Leider von sehr unterschiedlicher Qualität" (Schneider, S. 42f.). Damit spricht Schneider ein Problem an, das sich in den Jahren nach Sindelfingen immer stärker bemerkbar machen sollte: Die Originalkomposition für Blasorchester setzt sich zwar durch, aber sie wird damit zugleich zu einem kommerziell einträglichen Geschäft, dem Warenmarkt unterworfen – bar jeden künstlerischen Anspruches. Zwanzig Jahre nach Sindelfingen, 1986, konnte Franz A. Stein in einem Bericht über die Pro-musica-Plaketten-Verleihung noch monieren: „Am Beginn des Festaktes spielte ein Musikverein aus Burgjoss eine ‚pittoresk' bezeichnete kleine Suite von Willy Hautvast (1932). Schade, daß man den begeistert spielenden jungen Leuten einen solchen Epigonenverschnitt zum Spielen vorlegt. Da ist Arbeit mit den Orchesterleitern in Sachen Literaturkenntnis notwendig. Da können die Verbände etwas tun."[86] In Sindelfingen kam es 1966 zudem zur Gründung einer „Kommission zur Erforschung des Blasmusikwesens", um über die bessere Kenntnis der historischen Entwicklung und der gesellschaftlichen Bedingungen eine gerechtere Beurteilung des Phänomens in der Öffentlichkeit herbeizuführen. Aus dieser „Kommission" entstand 1974 in Graz die „Internationale Gesellschaft zur Erforschung und Förderung der Blasmusik".

---

[86] Neue Musikzeitung 35, 1986, Nr. 2, S. 49. – Die vom Bundespräsidenten der Bundesrepublik Deutschland gestiftete Pro-musica-Plakette wird an jene Musikvereine verliehen, die auf eine mindestens einhundertjährige Geschichte verweisen können. – In diesem Zusammenhang auch eine Erfahrung, die die Situation zu beleuchten vermag: Als der Bund Deutscher Blasmusikverbände im Jahr 1985 einen Kompositionswettbewerb ausschrieb, beteiligten sich daran 104 Komponisten. Obwohl in der Ausschreibung „symphonische" Blasmusik gefordert wurde, sandten doch etwa ein Drittel dieser Komponisten Märsche, Polkas und modische Unterhaltungsstücke ein, die von der Jury sogleich ausgesondert werden mußten. Offensichtlich ist auch unter den Komponisten noch das Bewußtsein von „symphonischer" Blasmusik teilweise nicht entwickelt. – Unter den verbleibenden Einsendungen gehörte der größte Teil der Leistungsstufe von Höchstklassenkapellen an, auch in der Oberstufe fanden sich noch genügend Werke, während die Mittelstufe sehr schwach und die Unterstufe kaum vertreten war. Das bedeutet, es fällt schwer, bei begrenzter Leistungsfähigkeit einen gewissen musikalisch-künstlerischen Anspruch zu erfüllen.

Rückblickend läßt sich derzeit (1987) sagen, daß die von Donaueschingen 1926 und von Paul Hindemith und Hermann Grabner ausgegangenen „jugendbewegten" Ideen in den fünfziger Jahren dank des Trossinger Kreises im süddeutschen Blasmusikwesen Fuß fassen konnten. Die Kompositionen Schneiders und Regners gingen in das Repertoire ein, Persönlichkeiten wie Peter Seeger, Gerhard Maasz, Gerbert Mutter, Franz Joseph Meybrunn, Friedrich Deisenroth, Paul Kühmstedt, Edmund Löffler, Hellmut Haase-Altendorf, Ernest Majo, Kurt Rehfeld, Albert Loritz führten und führen die Richtung mit Erfolg weiter.[87] Doch konnte Schneiders Anspruch nur teilweise – und gewiß nicht in seinem vollen Sinn verwirklicht werden.[88] Zu stark wirkte einerseits die Tradition volkstümlicher Blasmusik weiter und zu übermächtig verbreiteten die Medien eine Unterhaltungsmusik, die von der Freizeitindustrie dem außerschulischen und außerberuflichen Amüsierbedürfnis „verordnet" wurde/wird.[89] Überlieferte Marsch-Polka-Walzer-Seligkeiten, konventionelle Idyllen und Ouvertüren, denen Techniken und rhythmische Effekte der jazzverwandten Unterhaltungsmusikmoden aufgepropft werden, bestimm(t)en den Großteil des Repertoires der etwa zehntausend Amateurblasorchester des mitteleuropäischen Raumes. Doch als Marginalie, als Höhepunkt eines Konzertes, als Ausweis für die Leistungsfähigkeit eines Orchesters (beim Wertungsspiel), hat die originale Blasmusik Willy Schneiders und seiner Nachfolger einen festen Platz im Bewußtsein des überwiegenden Teiles der Blasmusikamateure sich erworben.

Man könnte (angesichts der jüngsten Diskussionen in der Musikszene) von einer „neuen Einfachheit" sprechen, auch von einer durch ihre Stilvielfalt geprägten „Postmoderne". Doch fehlt das Zwischenglied. Die „neue Einfachheit" der

---

[87] Vgl. dazu W. SUPPAN, *Die Entwicklung der Literatur für Amateurblasorchester in Mitteleuropa seit 1950*, in: Festschrift für Ernst Klusen, hg. von G. NOLL und M. BRÖCKER, Bonn 1985, S. 497–509; dass. (auch in engl. und franz. Übersetzung) in: Brass Bulletin 49, 1985, S. 13–30. – Die Werke der im Text genannten und weiterer Komponisten werden im *Lexikon des Blasmusikwesens*, 3. Aufl., Freiburg 1988 (in Vorb.) sowie im *Blasmusik-Konzertführer* (in Vorb.) des Verfassers genannt und vorgestellt, so daß sich ein näheres Eingehen darauf an dieser Stelle erübrigt.

[88] Die „Bundesakademie für musikalische Jugendbildung" nahm unter der Leitung von Hans Walter Berg im Jahr 1973 ihre Arbeit in Trossingen auf, ohne sich allerdings dezitiert auf die vorangegangene Tätigkeit der Bläserschule des Trossinger Hochschul-Instituts und auf die Arbeit von G. Waldmann, W. Schneider und H. Regner zu berufen; vgl. H. W. BERG, *Instrumentale Laienmusik*, in: Die Blasmusik 28, 1978, S. 202–204.

[89] N. POSTMAN, *Amusing Ourselves to Death*, New York 1985; dt. Übersetzung: *Wir amüsieren uns zu Tode. Urteilsbildung im Zeitalter der Unterhaltungsindustrie*, Frankfurt 1985; W. SUPPAN, *Musik – eine Droge?*, in: Musik – eine Droge? Grenzen psychophysischer Belastbarkeit bei Jugendlichen, Eisenstadt 1986, S. 75–86; ders., *Musica humana. Die anthropologische und kulturethologische Dimension der Musikwissenschaft*, Wien–Köln–Graz 1986, vor allem S. 80–93.

Blasmusikkompositionen hat die „alte" nie verlassen – und die „Postmoderne" ist nicht durch die „Moderne" hindurchgegangen.

In den letzten Jahren zeichnet sich eine Trennung ab: (1) Es entstehen „symphonische Blasorchester" nach den Besetzungsvorbildern der US-amerikanischen High-School-, College- und Universitätsorchester, die auch die Literatur aus amerikanischen Verlagen oder bei Molenaar in den Niederlanden beziehen. Ohne dabei Vollständigkeit anstreben zu können, seien die Stadtkapellen von Wangen im Allgäu unter der Leitung von Alfred Gros, Albstadt unter der Leitung von Motti Miron sowie die Jugendblasorchester aus Meersburg unter der Leitung von Toni Haile, Ulm unter der Leitung von Paul Kühmstedt und Norbert Nohe, Sonthofen unter der Leitung von Arthur Engesser, Radolfzell unter der Leitung von Heinrich Braun, Konstanz unter der Leitung von Douglas Bostock, Göppingen unter der Leitung von Karl-Heinz Elter, Werneck unter der Leitung von Peter Blum genannt. Regionale Auswahlorchester suchen über die Leistungsträger aus den Blaskapellen, Einfluß auf die Repertoiregestaltung und auf das musikalische Niveau der einzelnen Kapellen zu gewinnen (Sinfonisches Jugendblasorchester Baden-Württemberg unter der Leitung von Norbert Nohe, Landesjugendblasorchester Nordrhein-Westfalen unter der Leitung von Reinhold Rogg, Verbandsjugendorchester Karlsruhe unter der Leitung von Manfred Keller, Verbandsjugendorchester Markgräfler Land unter der Leitung von Josef Heckle). Diese Orchester möchten bewußt hohe Ansprüche erfüllen, die neue Blasmusik unseres Jahrhunderts bis hin zu Hindemith, Schönberg, Badings, Husa, Penderecki, Messiaen pflegen. Für solche Ensembles der Höchstklasse konnte 1986 beim Landeswettbewerb Baden-Württemberg in Karlsruhe Karl Haidmayers „De ilnes ortam" und beim 5. Internationalen Jugendkapellentreffen des Bundes Deutscher Blasmusikverbände 1987 in Karlsruhe Paul Hindemiths „Marsch aus den symphonischen Metamorphosen über Themen von Karl Maria von Weber" als Pflichtstück angesetzt werden. Die darunter liegenden Leistungsgruppen hatten 1986 Paul Kühmstedts „Landsknechtlied" (Unterstufe), Hellmut Haase-Altendorfs „Suite Inzighofen" (Mittelstufe) oder Willy Schneiders „Festliche Musik für Bläser" (Oberstufe) sowie 1987 Armin Suppans „Johann Joseph Fux-Suite" vorzutragen. Solche Möglichkeiten und deren hervorragende Bewältigung durch die einzelnen Orchester berechtigen zu Optimismus bezüglich der weiteren Entwicklung. – (2) Die Vielzahl der Amateurblaskapellen sieht dagegen ihre Hauptaufgabe in der Bewahrung konventioneller unterhaltsamer Gebrauchsmusik – mit gelegentlichen Ausflügen in sogenannte „konzertante" Bereiche. Die Verantwortlichen in den Blasmusikverbänden betrachten es als ihre Aufgabe, auf die Vielfalt des Blasmusikrepertoires, von der Marsch- und Freiluftmusik bis zur Musik im Gotteshaus und im Konzertsaal, hinzuweisen und vor einseitiger Beschränkung auf bestimmte Formen „niederer" (Unterhaltungs-)Musik zu warnen.

Ein Zentrum für Experimente mit Neuer Blasmusik – und damit ein Anreiz für Komponisten, sich an der Ausprägung weiterführender Literatur in diesem Genre zu beteiligen, wie dies einst in Donaueschingen 1926 geschehen konnte und wie dies nun durch die „Festlichen Musiktage" Albert Häberlings in Uster in der Schweiz oder durch das Symphonische Blasorchester der Hochschule für Musik und darstellende Kunst in Graz gegeben ist – fehlt jedoch heute in der Bundesrepublik Deutschland. Keine bundesdeutsche Musikhochschule hat bisher die Anregung Willy Schneiders aufgegriffen, Blasmusikkomposition und Direktion in ihr offizielles Lehrprogramm aufzunehmen.

Österreich: Die „Tiroler Schule" leistet Pionierarbeit

Hatte die Blasmusikszene in der Zwischenkriegszeit von der k. u. k.-Nostalgie gelebt, ohne neue Impulse aufzunehmen und zu verarbeiten – oder gar selbst zu entwickeln, so führte das neue Staatsbewußtsein der Zweiten Republik u. a. zu Werken einer konzertanten Blasmusik, deren Anfänge in Tirol zu finden sind. Noch in die vierziger Jahre fällt die Komposition von Josef Eduard Ploners „Symphonie in Es", ein durch die Satzüberschriften stark patriotisch gewichtetes Opus, eher an der spätromantischen Harmoniefülle der „Schweizer" Franz von Blon, Stephan Jaeggi oder Carl Friedemann orientiert als an Hans Felix Husadel oder gar an den deutschen Jugendbewegten. Sowohl Sepp Tanzer wie Sepp Thaler studierten bei Ploner in Innsbruck, wo nach dem Zweiten Weltkrieg zudem Otto Ulf – in enger Verbindung zu den „Trossingern" – die Musikerzieher an der Lehrerbildungsanstalt unterrichtete. Dieser Kreis vermochte mit Unterstützung des ersten Redakteurs der „Österreichischen Blasmusik"-Zeitschrift, Karl Moser, und des 1957 gewählten musikalisch initiativen Präsidenten des Österreichischen Blasmusikverbandes, Josef Leeb, sowie mit dem oberösterreichischen Komponisten Franz Kinzl und mit dem niederösterreichischen Komponisten Herbert König eine eigenständige „österreichische Schule" zu entfalten, die seit der Mitte der fünfziger Jahre von den einzelnen Kapellen akzeptiert wurde.

Der Leitartikel der ersten Nummer der Österreichischen Blasmusikzeitschrift (S. 1–3) am 5. Februar 1953 trägt die Überschrift: Gedanken zur Hebung des musikalischen Niveaus unserer Blasmusikkapellen. Karl Moser führt darin aus: „Von vier Dingen hängt die Leistung einer Musikkapelle ab: von einem guten Kapellmeister, von eifrig übenden Musikern, von brauchbarem Notenmaterial und von guten Instrumenten." Doch ist unter dem dritten Punkt: Notenmaterial, nur von den Äußerlichkeiten der drucktechnischen Gestaltung und Besetzung die Rede, nicht von der Art und Qualität der Literatur. In der selben Ausgabe der genannten Zeitschrift veröffentlicht der Bund der Blasmusikkapellen Oberösterreichs ein Preisausschreiben für Blasmusikwerke, wobei sowohl Originalkompositionen (Ouvertüren, Walzer, Charakterstücke) wie Arrangements „tantiemenfreier" Werke vorgelegt werden können, und zwar für folgende Besetzung: Flöte (Des oder C), Es-Klarinette, 3 B-Klarinetten, 1. und 2. Flügelhorn, Baßflügelhorn, Euphonium, 1. Trompete in B (obligat), 2., 3. und 4. Trompete in Es (Begleitung), Baßtrompete in B, 4 Hörner in Es, 3 Posaunen, F- und B-Baß, Schlagwerk. Obgleich Sepp Tanzers wegweisendes Werk „Tirol 1809" bereits vorlag, ist in den Aufrufen zur Beteiligung an Wertungsspielen, in den Wertungsspielordnungen und in den Selbstwahllisten für Wertungsspiele zunächst nicht die Rede von originaler Blasmusik. In einem Bericht über das 2. Südtiroler Landesmusikfest 1954 in Meran erfährt der Leser der Österreichischen Blasmusikzeitschrift erstmals von einem Konzert mit „Originalkompositionen" (Jg. 2, 1954, S. 91), und erst zwei Jahre später, in einem Referat über eine Tagung der deutschsprachigen Blasmusikverbände in Friedrichshafen, werden Konzerte mit Werken erwähnt, die in jüngster Zeit für das Blasorchester geschrieben wurden, darunter Tanzers „Tirol 1809". Otto Ulf macht in Friedrichshafen auf das „Spiel in kleinen Gruppen" aufmerksam, das „nicht nur intime Festlichkeiten verschönern, sondern auch die üblichen Konzertprogramme angenehm auflockern" könnte.[90]

Damit scheint der Bann gebrochen. Unter dem Titel „Repertoire-Erneuerung" schreibt Karl Moser noch im selben Jahr 1956: „... Originalkompositionen für Blasmusik, die erfreulicherweise angestrebt werden. Sind die Originalwerke so beschaffen, daß sie dem Charakter der Blasinstrumente und ihrer Registereigenschaften voll entsprechen, so kommen wir zum eigentlichen Ideal des Blasmusikwesens, zur arteigenen Bläsermusik, deren derzeitige Hauptvertreter Regner und Schneider sind" (ebda. 5, 1956, S. 95).

Mit dem Leitartikel des Jahrganges 1957 der Österreichischen Blasmusik-Zeitschrift beginnt Karl Mosers und seiner o. g. Mitstreiter entschiedenes und konsequentes Eintreten für originale Blasmusik: „Aus dem ganzen Dilemma gibt es nur einen Ausweg: Kompositionen zu schaffen, die den Blasmusikkapellen ‚auf den Leib' geschrieben sind. Und da die Blasmusikkapellen einen auffallenden Aufschwung genommen haben, werden der Komponisten immer mehr, die wertvolle Musik für Blasorchester schreiben. Damit sind jene Kompositionen zu verstehen, die das Originelle der Blasinstrumente hervorheben und in Melodie und Stimmführung dem Charakter, also der den Blasinstrumenten eigenen Art, angepaßt sind ... Daß diese arteigene Blasmusik der Orgelmusik nahekommt, ist begreiflich; denn die Orgel ist doch das vollkommenste Blasinstrument. So ist auch die polyphone Stimmführung ein Hauptcharakteristikum der arteigenen Blasmusik ... zeugen sie doch von dem Willen, nicht steckenzubleiben im alten

---

[90] Österr. Blasmusik 4, 1956, S. 62f.; der Bund der Blasmusiken Steiermarks veröffentlichte 1954 Robert Lobovskys Broschüre *Das Blasorchester,* in der im Literaturkapitel nur von volkstümlicher Blasmusik traditioneller Art und von Bearbeitungen die Rede ist.

Zopf, sondern vorwärtszustreben und mitzugehen mit dem Zug der Zeit."[91] Oder an anderer Stelle: „Unser Bestreben muß daher sein, eine originale Blasmusikliteratur zu schaffen, die allmählich den ganzen Notenbedarf zu decken vermag. Ihre Qualität muß aber so beschaffen sein, daß sie das klassische und romantische Musikgut zu ersetzen vermag. In diesem Punkt schaut es allerdings noch sehr kläglich aus. Was selbst von großen Verlagen heute auf den Markt geworfen wird, ist zu einem hohen Prozentsatz Kitsch niedrigster Sorte."[92] Das ist die Sprache der „Trossinger", die sich in diesen Formulierungen widerspiegelt.

Trotzdem ist das Ergebnis ein anderes: Ploner, Tanzer, Thaler, Kinzl und König stehen in der Tradition österreichischer Symphonik zwischen Anton Bruckner einerseits und Joseph Marx und Franz Schmidt andererseits. Nicht der Rückgriff auf vorklassische Formen und Inhalte ist für ihre Musik kennzeichnend, sondern die spätromantisch-vollgriffige Harmonik und Polyphonie mit ihren volksliedhaften, tanzartigen Passagen in den Scherzo- und Rondosätzen. Immer wieder wird auf die Orgel zu verweisen sein, von der Ploner, Thaler, Kinzl und König herkommen.

An zwei herausragenden Beispielen ist dies darzustellen: an Sepp Tanzers Suite „Tirol 1809" (Edition Helbling, Innsbruck 1954) und an Herbert Königs „Präludium und Fuge in B" (ebda. 1964).

Indem Tanzer das Tiroler Gedenkjahr 1809 in Erinnerung ruft, trifft und überhöht er die Aufbruchstimmung der Jahre nach dem Zweiten Weltkrieg. Es sind Melodien aus der Geschichte des Landes Tirol, die das melodische Gerüst schaffen: „Den Stutzen hear beim Saggra" (1796) im ersten Satz, „Wach auf" (1561) und „Tiroler, laßt uns streiten", das Leiblied Andreas Hofers aus dem Jahr 1809, das die „Marseillaise" im Kampfgetümmel übertönt, im zweiten Satz, das „Springeser Schlachtlied" (1797) im dritten Satz. Das ist der außermusikalische, programmatische, emotionale Zugang zu einer Komposition, die den Boden bereitet für die Aufnahme einer originalen Blasorchesterliteratur, die in der ersten Hälfte der fünfziger Jahre den Blaskapellen Österreichs noch sehr fremd erscheinen mußte. Da ist zunächst der solistische, wie aus weiter Ferne aufklingende Piano-Beginn:

---

[91] K. Moser, *Repertoire-Erneuerung,* in: Österr. Blasmusik 5, 1957, S. 2.

[92] anon. (K. Moser/F. Kinzl), *Hier spricht der Kritiker,* ebda. 6, 1958, S. 17; vgl. auch ebda. S. 37f., 41f., 57f. sowie 141–133 (W. Schneider, *Bläserjugend, hast du ein Ziel?).*

die Eigenständigkeit der Linienführung und der bewußte Einsatz der Klangfarben der einzelnen Register, die Entwicklung und der Variantenreichtum der Themen und Melodien, die auskomponierte Ruhe vor dem Kampf am Berg Isel (Beginn des zweiten Satzes), an die (Takt 8) der Choral sich knüpft, der wie ein Gebet über das Land im Gebirge hallt:

Und auch der dritte Satz, er trägt den Titel „Sieg", hebt besinnlich an:

und läßt zwischen den Tutti-Stellen, in denen sich das Orchester mächtig aufbäumt, immer wieder lyrische Elemente aufklingen.

So fremd die Suitenform und der solistische Einsatz, die polyphone Gestaltung und die orgelmäßige Registrierung den Musikern in den Blaskapellen erscheinen mußten, die nicht über das 19. Jahrhundert hinausgehende Tonalität und das patriotische Programm des Stückes ermöglichten Zugang zu und Identifikation mit ihm. Und so schuf Tanzers „Tirol 1809" zugleich eine Beziehung zur originalen Blasmusik insgesamt.

Wohin diese Entwicklung in Österreich führte, zeigt das zehn Jahre später gedruckte Werk Herbert Königs. „Präludium und Fuge in B" benötigt kein Programm, es stellt sich als absolute Tonkunst dar. Das Verständnis dafür soll über die musikalische Struktur, über den intelligenten Mitvollzug der kunstvoll gestalteten „tönend-bewegten Form" erfolgen. Den Kennern der Blasmusikszene ist bereits bei Erscheinen des Werkes klar, was es für die Blasmusik bedeutet. Franz Kinzl schreibt darüber in der Österreichischen Blasmusikzeitschrift: „Herbert König ist ein Kontrapunktiker, der barocke Strenge und reiche Figuration mit neuzeitlicher chromatischer Harmonik zu einer ganz wunderbaren klanglichen Einheit verbindet. Diese überall stets auch publikumswirksame, zugleich aber den Fachmann hoch befriedigende Komposition, ist für uns ein Markstein in der Entwicklung seit dem Zweiten Weltkrieg und zugleich ein Wegweiser für die Zukunft, da sie den Beweis erbringt, daß der musikalische Fortschritt in Richtung ,Ernste arteigene Blasmusik' am besten auf polyphonen Pfaden erfolgen kann... Besitzt zwar das Blasorchester nicht so viele Register wie eine große Stifts- oder Domorgel, so hat es dafür das Erklingen mehrerer Klangfarben gleichzeitig voraus und die unabhängige Crescendierung jeder einzelnen Stimme. Während der Organist gleichzeitig nur drei Klangfarben geben kann..., können im Blasorchester vier und noch mehr erklingen. Das ist für die Polyphonie insoweit von Bedeutung, als man dem Verlauf einer Fuge, eines Kanons, einer Passacaglia und so weiter umso besser folgen kann, je mehr die einzelnen Stimmen für das Ohr voneinander unterscheidbar sind, nicht bloß in Höhe und Tiefe, sondern auch in der Farbe." Kinzl bezeichnet Königs Komposition als ein Musterbeispiel arteigener symphonischer Blasmusik, das sich von der massenhaft gedruckten Pseudo-Symphonik wohltuend abheben würde. Das „Präludium" ist gekennzeichnet durch „von oben talwärts wandernde, figurativ umspielte Akkorde":

Das Fugen-Thema erscheint zunächst eher zögernd in den Klarinetten, Flügelhörner und Tenorhörner fallen ein und verdichten den Satz:

Kinzl: „Schon die erste Durchführung zeigt die Meisterschaft in strenger Satzkunst mit einem korrekt wie bei Bach auf- und absteigenden Cantus firmus und Comes, welche Weggefährten ausgerechnet dreieinhalb Takte haben... Prompt folgt auch die erste Sequenz vor der zweiten Durchführung, bei der das Thema (Bariton) in den Trompeten bereits mit der Umkehrung beantwortet wird. Die dritte Durchführung ist fragmentarisch und zieht dem der Regel nach hier vorgesehenen Moll der Paralleltonart strahlendes Dur vor. Die folgenden Sequenzen steigern ins Forte, münden beschleunigt von einem neuen Piano aus in die ersten Engführungen, sich bis zum ersten kurzen Dominant-Orgelpunkt ins Fortissimo steigernd. Nun modulieren Thema und Sequenzen ohne stures Schema. Mit dem Paukeneinsatz wird dem Dominant-Orgelpunkt ein solcher von der Dominante der Dominante (Quartsextakkord und Dominantseptakkord auf D) vorausgeschickt, womit man nach Eintritt der liegenden Dominante G unter diatonisch in schnellen Sechzehnteln wandernden Akkorden das Ende bereits vorausahnt. Es beginnt mit dem Thema in kräftigem Unisono und mündet auf dem festen Grund des Tonika-Orgelpunktes mächtig ausklingend in das Präludium-Thema, wodurch sich der Kreis der Aussageform schließt."[93]

Kinzl knüpft an die Beschreibung von Herbert Königs „Präludium und Fuge in B" noch die Frage, ob es nicht möglich sein sollte, musikalisch-niveauvolle Musik dieser Art auch für Unter- und Mittelstufenkapellen zu schreiben?

Mit dieser Komposition von König schien aber nicht nur ein Höhepunkt – sondern auch ein Endpunkt erreicht. Ein Endpunkt in bezug auf die Leistungsfähigkeit von Amateurorchestern und ein Endpunkt in bezug auf die spätromantisch-tonale Harmonik, die mit Max Reger und Alexander Skrjabin ihre Möglichkeiten ausgeschöpft hatte. Arnold Schönberg und Joseph Matthias Hauer, Paul Hindemith und Béla Bartók, Igor Strawinskij und Oliver Messiaen schlugen daher andere Wege ein.

Es ist bezeichnend, daß sich nun die Weiterentwicklung der Blasmusikkomposition in Österreich an die Hochschule für Musik und darstellende Kunst in Graz verlagerte, wo im Jahr 1974 ein Symphonisches Hochschulblasorchester (Dirigent zunächst Adolf Hennig, dann Eugen Brixel; Gastdirigenten u. a. Pierre Nimax, Luxemburg, Albert Häberling, Zürich, David Whitwell, Los Angeles, Paul Bryan, Durham, Sacho Michailov, Sofia, Henk van Lijnschooten, Rotterdam) gegründet werden konnte. Und es hat geradezu symbolhaften Charakter, daß im ersten öffentlichen Konzert dieses Orchesters am 25. November 1974, anläßlich des Gründungskongresses der Internationalen Gesellschaft zur Erforschung und Förderung der Blasmusik, Herbert Königs „Präludium und Fuge in B" als erstes Werk erklang. Eine 1984 erschienene Dokumentation bezeugt, daß das Grazer Hochschulblasorchester einerseits das historische Erbe, angefangen von den französischen Revolutionskomponisten über die Romantiker bis zu den Blasmusik-Klassikern des 20. Jahrhunderts (Grabner, Hindemith, Blacher, Milhaud, Schönberg, Tscherepnin) beachtet, darüber hinaus aber zahlreiche Komponisten zu neuen Werken inspiriert hat. Genannt seien in diesem Zusammenhang Karl Haidmayer, dessen Beitrag zum Wagner-Jahr 1983 mit dem Titel „De Ilnes Ortam" („Matrosenlied", von rückwärts gelesen) inzwischen in der Bundesrepublik Deutschland und in Österreich als Pflichtstück bei Wertungsspielen zum Einsatz kam, David Johnston mit der „Festmusik 1984", Franz Koringer mit der „Musik für Fagott und Bläserensemble" (1982), Hannes Kuegerl mit „Flavia Solva" (1978) und mit einem Trompeten-Konzert (1980), Albert Nagele mit „Recitativ und Allegro" (1980), Hermann Markus Pressl mit „Casus angelorum" (1977), „Resurrectio" (1980) und „Arsis" (1984), Konrad Stekl mit „Musica turca"

---

[93] F. KINZL, Rezension in: Österr. Blasmusik 13, 1965, S. 60–62. – Zum Grundsätzlichen vgl. G. VEIT, *Die Blasmusik. Studie über die geschichtliche Entwicklung der geblasenen Musik*, Bozen 1972.

(1977) und „Cheyenne-Amorphia" (1980). Der „Experimentierrahmen" der Grazer Hochschulblasorchester-Konzerte reicht von der tonalen Ouvertüre „Flavia Solva" Hannes Kuegerls zur seriellen Komposition Konrad Stekls, von dem amüsant-parodistischen „De Ilnes Ortam" Karl Haidmayers zu der Aleatorik Hermann Markus Pressls.[94]

Graz ist nicht der einzige Ort Österreichs, an dem Blasmusik-Avantgarde sich trifft. (Auch in Hall in Tirol[95] und in den Konzerten der Militärmusik Kärnten und des Kärntner Landesblasorchesters unter der Leitung von Sigismund Seidl[96] fanden sich in den letzten Jahren neue Werke: in Kärnten u. a. Pendereckis „Pittsburgh Overture" und im Rahmen eines Auftritts des Kärntner Landesblasorchesters in Wien Karel Husas „Music for Prague".) Doch kann derzeit keine andere Institution eine ähnliche Kontinuität und Konzentration der Kräfte im Hinblick auf die Bewältigung zukünftiger Aufgaben vorzeigen.

Schweiz: Warten auf Uster

Zu unterschiedlichen Zeiten sind in den mitteleuropäischen Ländern Persönlichkeiten in und außerhalb von Institutionen aktiv geworden, um der Blasmusikkomposition neue Impulse zu vermitteln. Obgleich es schon 1870 in den Statuten des (heutigen) Eidgenössischen Musikvereins hieß: § 23 „Wenn es die Gesellschaftskasse erlaubt, so kann das Centralkomitee einen angemessenen Credit aussetzen, um für die Festpartituren (Gesamtchorstücke) Originalkompositionen zu erwerben", und obgleich seit 1906 bei Wertungsspielen nur Originalkompositionen als Pflichtstücke vorgeschrieben werden sollten, hat sich dieser Gedanke doch erst in den beginnenden dreißiger Jahren entscheidend durchgesetzt: eben mit Werken von Stephan Jaeggi, Carl Friedemann, Franz Springer und Franz von Blon. Doch kam es nie zu einer allseitigen Begeisterung für Originalwerke, sondern es blieb bei einem Überhang von Bearbeitungen in den Konzertprogrammen der einzelnen Musikvereine. Selbst Stephan Jaeggis eigene Konzerte mit der

---

[94] F. Waldstädter, *10 Jahre sinfonisches Blasorchester der Musikhochschule Graz*, Graz 1985, mschr. vervielf. Broschüre; vgl. dazu auch E. Brixel, *Blasmusikforschung – ein Postulat an die Musikwissenschaft*, in: Aktualisierung des instrumentalen Unterrichts, Veröffentlichung der Arbeitsgemeinschaft der Musikerzieher Österreichs VI, 1975, S. 60–67; ders., *Blasmusik und Avantgarde*, in: Alta musica 4, 1979, S. 33–65; ders. (Hg.), *Der Jungmusiker. Ein Wegweiser für die Jugendarbeit im Österreichischen Blasmusikverband*, Oberneukirchen 1980.

[95] N. Cziep, *Auftragswerk von Richard Heller in Hall/Tirol uraufgeführt*, in: Österr. Blasmusik 33, 1985, H. 5, S. 8; G. Veit u. a., *Blasmusik aus Tirol. Verzeichnis der Komponisten und ihrer Werke*, Bozen–Innsbruck 1985.

[96] *Provokation mit Versöhnung als Elemente der Programmgestaltung*, in: Österr. Blasmusik 34, 1986, H. 2, S. 4; zum Wiener Auftritt s. ebda. H. 6, S. 3 f., und H. 7, S. 4.

Stadtmusik Bern bezeugen, daß der Dirigent offensichtlich lieber bearbeitete als selbst komponierte.[97]

Das Festreglement des Eidgenössischen Musikfestes 1948 in St. Gallen sah vor, daß die zum Wertungsspiel antretenden Vereine freiwillig ein neues Blasorchesterwerk (Original oder Bearbeitung) zur Aufführung bringen sollten. Die dabei gewählten Stücke charakterisiert einer der Preisrichter, der damalige Direktor des Züricher Konservatoriums R. Wittelsbach mit folgenden Worten: „Während bei den Bearbeitungen ungeachtet gewisser Einwendungen in Detailfragen im allgemeinen ein gutes, teilweise bemerkenswertes Niveau festzustellen ist, lassen einige Autoren von Originalwerken eine weitgehende Unvertrautheit mit den Grundlagen der kompositorischen Gestaltung erkennen." Dann weist Wittelsbach darauf hin, daß die meisten Werke, auch Bearbeitungen, an den Orchesterformen der Klassik und des 19. Jahrhunderts orientiert seien, während der originale Bläserklang des Barock oder der deutschen Tanz- und Turmmusik des 17. Jahrhunderts weder im Original noch als Anregung für neue Werke genutzt würde.[98] Das ist zweifellos ein Hinweis auf die Blasmusikideen der deutschen „Jugendbewegten" seit Hindemith.

Hochinteressant erscheint die von Ulrich Troesch vorgelegte Statistik der bei Eidgenössischen Musikfesten vorgegebenen Kompositionen. Bis zum Jahr 1966 sind alle sogenannten „Originalwerke" den Klangvorstellungen der Wiener Klassik und der Romantik des 19. Jahrhunderts nachempfunden. Allein zwei Kompositionen zeigen „barocke" Eigenheiten: Stephan Jaeggis „Intrada festiva" und Jean Daetwylers „Poèm et Fugue". Seit 1971 ist sowohl im Bereich der Programm-Musik (Benz, Daetwyler, Moret) wie bei Stücken der „absoluten" Tonkunst (Blum, Boeckel, Huber, Patterson) eine Öffnung der Dur-Moll-Tonalität bemerkbar, am stärksten bei Pattersons frei-tonalem „Chromaskop". Allerdings beschränkten sich die Aufführungen des letztgenannten Werkes auf die drei „Pflichtübungen" während des Musikfestes 1981 in Lausanne; seither wurde der

---

[97] W. BIBER, *Aus der Geschichte der Blasmusik in der Schweiz*, in: Alta musica 1, 1976, S. 127–143; vgl. auch O. ZURMÜHLE, *Der Blasmusikdirigent*, 2. Aufl., Adliswil bei Zürich 1950 (1959).

[98] U. TROESCH, *Eidgenössische Musikfeste. Die Pflichtstücke von 1931 bis 1981*, mschr. Prüfungsarbeit o. O. u. J.; P. LÜSSI, *Schweizerischer Blasmusik-Führer. Alphabetisches Verzeichnis aller Blasmusikwerke und Schweizer Komponisten*, 1. Ausg., Arth 1985; R. HAUSWIRTH, *1000 ausgewählte Werke für Blasorchester und Bläserensemble*, Eichrueti 1986; H. FREI, *Gedanken zur Tätigkeit des Blasmusikdirigenten*, Mellingen 1978; über schweizerische Komponisten vgl. J. STRÄSSLE (Hg.), *Stephan Jaeggi. 1903–1957. Komponist – Musikdirektor. Gedenkschrift*, Kirchberg 1967; W. BIBER, *St. Jaeggi und sein Lebenswerk*, St. Gallen 1977; D. LARESE (Hg.), *Paul Huber zum 60. Geburtstag*, Amriswil 1978; R. SCHUHMACHER, *C. B. U. Friedemann, 1862–1952*, Prüfungsarbeit Konservatorium Luzern o. J.; J.-L. MATTHEY, *Bernard Schulé. Catalogue des Œuvres*, Lausanne 1986.

SUISA keine Aufführung gemeldet. Dagegen hatten konventionell strukturierte Pflichtstücke, die demnach im Schein des Bekannten auftraten, wie Daetwylers „Morgarten 1315" (1971, zwischen 1974 und 1984 590 weitere Aufführungen), durchaus Eingang in das Konzertrepertoire gefunden.

Solche Erfahrungen mußten zu denken geben, und eben dies wollte Albert Häberling, ein Schüler Robert Blums, seit 1954 Dirigent der Stadtmusik Uster und 1958 Gründer des Zürcher Blasorchesters. Er holte 1956 die an einer sinnvollen Weiterentwicklung der Blasmusik interessierten Fachleute zu einer „Arbeitstagung" nach Uster. Daraus entstanden die „Festlichen Musiktage Uster", die zunächst Inventur, bald aber europäisches Innovationszentrum neuer Blasmusikwerke und Ideen werden sollten. Als Musikreferent im Studio Zürich des Radios der Deutschen und der Rätoromanischen Schweiz hatte Häberling schließlich die Chance, ein entscheidendes Kommunikationsmedium in den Dienst seiner Initiativen stellen zu können. Abgestützt wurde das Unternehmen Uster durch die Stiftung des Musikpreises der Stadt Grenchen und die Schaffung eines Fonds zur Förderung des originalen Musikschaffens für Blasorchester im Eidgenössischen Musikverein, aber auch durch die Gründung des Basler Blasorchesters, 1960. Als Eigenart der schweizerischen Blasmusikszene darf zudem erwähnt werden, daß sich qualifizierte Bläser aus Musikvereinen zu überregionalen Brass-Bands zusammenschlossen und den Kontakt zur englischen Brass-Band-Bewegung aufnahmen.

Dienten die frühen „Arbeitstagungen" in Uster der historischen Aufarbeitung und der Standortbestimmung der Blasmusik in Mitteleuropa, so wandelten sich die „Festlichen Musiktage" (seit 1960 gibt es diesen Titel) in den sechziger Jahren zu einer Schau neuer Blasmusik. Seit 1966 finden in Uster nur noch Uraufführungen statt. Komponisten aus der gesamten westlichen Welt, aus allen europäischen Staaten, aus Amerika und aus Japan, werden „beauftragt", für Uster ihre Vorstellungen einer amateurspezifischen symphonischen Blasmusik in Musiknoten zu formulieren. Seither – bis einschließlich 1985 – kamen in der Kleinstadt im Umfeld von Zürich, die während der „Festlichen Musiktage" zum Mekka der europäischen Blasmusikkenner und Liebhaber wird, 112 Uraufführungen von Blasorchesterwerken und sieben Uraufführungen von Bläserkammermusikwerken von Komponisten aus 18 Ländern zustande.[99]

An den Uster-Uraufführungen zeigt sich das Spannungsfeld zwischen einer publikumsangepaßten und zweifellos erfolgreichen, jedoch in der Wahl der musikalischen Mittel retrospektiv verfahrenden Komponistengruppe und einer

---

[99] L. J. BLY, *Der Status der Musik für Blasorchester im 20. Jahrhundert im Spiegel der „Festlichen Musiktage Uster"*, in: Alta musica 9, 1987, S. 213–232; W. SUPPAN, *Uster 1981: Zwischen Tradition und Moderne*, in: Die Blasmusik 31, 1981, S. 221f.

Avantgarde. Auf der einen Seite stehen die bewährten Spezialisten gängiger Blasmusik, die außerhalb dieses, ihres Spezialgebietes nicht in Erscheinung treten, auf der anderen Seite gehört es zu Häberlings erklärtem Ziel, immer wieder angesehene Vertreter der Neuen Musik für die Blasmusik zu gewinnen und damit den Kontakt zur zeitgleichen Entwicklung herzustellen. Zur erstgenannten Gruppe zählen Albert Benz, Jean Daetwyler, Trevor J. Ford, Hellmut Haase-Altendorf, Franz Kinzl, Herbert König, Franz Königshofer, Serge Lancen, Henk van Lijnschooten, Edmund Löffler, Jos Moerenhout, Peter Seeger, Anton O. Sollfelner; diese Komponisten schufen gefällige, wirkungsvolle Gebrauchsmusik, die zumeist gedruckt und von den Blaskapellen in Stadt und Land aufgenommen wurde; ihre Kompositionen hätten des „Forums Uster" nicht bedurft. – Die zweitgenannte Gruppe teilt sich in unterschiedliche Stilbereiche, von der Spätro-mantik bis zum experimentellen Stück. So folgen Bernard Schulé mit einem „Konzert für Oboe und Blasorchester" und mit der „Gaillarde symphonique", Arthur Böhler mit den „Bildern des Lebens" und Ida Gotkovsky mit der „Symphonie de printemps" den französischen Impressionisten, während Peter Jona Korn mit „Salute to the Lone Wolves" in der Tradition eines Richard Strauss steht, Ernst Ludwig Uray mit „Heterogene" die österreichische Impressionistik von Joseph Marx und Franz Schmidt aufnimmt, Kamillo Lendvay mit der „Festspiel-Ouvertüre" und Iván Patachich mit den „Drei Ungarischen Skizzen" sich an Bela Bartók und Zoltán Kodály orientieren.

Neu-klassizistische Elemente zeigen sich bei Robert Blum und Albert Häber-ling: Klare Formgestaltung, eine kunstvoll durchgearbeitete Polyphonie, in der herbe Volksliedthematik erscheint, die Vermengung von Chor- und Bläserklang (in Blums „Sinfonie in d-Moll" und in Häberlings „Reflexionen") kennzeichnen diese Richtung, der auch Zdeněk Jonáks „Kammersinfonie" zuzurechnen ist.

Weiter vor, in Richtung jeweils zeitgenössischer Avantgarde, wagten sich Henk Badings mit „Epiphany", Jean Balissat mit „Incantation et sacrifice", André Besançon mit dem heiter-ironischen „Der kleine Schelm", Meindert Boekel mit „Constructions for Brass Band", Werner Wolf Glaser mit der „Sinfonie für Bläser", Karl Haidmayer mit der „12. Sinfonie" und Martin Wendel mit dem „Pamphlet". Doch wird man selbst an diesen, die Tonalität sprengenden, mit Cluster-Bildungen, mit instrumentalen Verfremdungstechniken, mit aleatori-schen und improvisatorischen Freiräumen „arbeitenden" Stücken noch Distanz zur zeitgleichen Blasmusik eines Karel Husa, eines Oliver Messiaen, eines Chri-stof Penderecki feststellen, und die Selbstironie eines Mauricio Kagel (in den „Zehn Märschen, um den Sieg zu verfehlen") ist völlig undenkbar.

Die Frage wird nach jedem Uster-Fest gestellt: Werden die uraufgeführten Kompositionen von den Amateurblasorchestern angenommen werden? Die von Leon J. Bly erstellte Liste aller bisher für Uster geschaffenen Werke zeigt, daß etwa die Hälfte im Druck oder zumindest als Leihmaterial bei Verlagen angeboten wird. Und das ist, gemessen an der „Ausbeute" üblicher Avantgarde-Festivals, sehr viel. Trotzdem erscheint die Frage falsch gestellt. Mit Absicht hat Albert Häberling im Programm-Heft 1985 Arnold Schönberg zitiert: „Wenn es Kunst ist, dann ist es nicht für die Menge. Wenn es für die Menge ist, dann ist es nicht Kunst", um damit anzudeuten, daß in Uster das Neue gesucht werden sollte, daß dabei experimentiert werden darf. „Es ist die Aufgabe des Forums für zeitgenössische Blasmusik, für die vielen Liebhabermusikanten neue Literatur zu beschaffen, die womöglich der heutigen Zeit entspricht. Das bedeutet für den Komponisten, die doch enggezogenen Voraussetzungen für Liebhaberorchester nicht zu überspannen, aber trotzdem das musikalisch Zumutbare anzuwenden. Die Schwierigkeitsgrade einer Komposition, die beim vereinsmäßigen musizieren immer noch eine bedeutende Rolle spielen, können bei den Festlichen Musiktagen nicht berücksichtigt werden. Hier soll das Werk mit seinem Inhalt im Vordergrund stehen. Freilich wird es das eine oder andere Werk schwer haben ‚anzukommen‘, doch nicht alles was auf Anhieb gefällt, ist gut. Ob Werke das 9. Forum überleben werden, ist für den heutigen Tag wenig entscheidend" (A. Häberling im Programm-Blatt 1974). Bedenkt man, wie lange es gebraucht hat, bis die 1926 in Donaueschingen uraufgeführten Blasorchesterwerke im Konzertrepertoire Aufnahme fanden, dann sollte man sich solcher Argumentation Albert Häberlings nicht verschließen. „... künstlerische Verantwortung bleibt erstes Ziel... Das Publikum ... möchte Auseinandersetzung, es sucht künstlerische Kommunikation ... Der bezeichnende Unterschied zwischen Festwochenprogramm und den Festlichen Musiktagen liegt in der musikalischen Substanz" (ders. 1977). Daher zielen Fragen, wie: „Die Blasmusik volksnah?" (Thurgau, Tageszeitung, 4. Okt. 1985), doch am Sinn der Sache vorbei.

Sorgen bereitet den Veranstaltern von Uster eher, daß Komponisten, die um ein Werk für Uster gebeten werden, die ihnen gebotenen Experimentiermöglichkeiten nicht nutzen, sondern mit gefälligen, in die Nähe der kommerziellen Unterhaltungsmusik gerückten Stücken sich dem Publikum anbiedern. Wer in der Meinung nach Uster fährt, eine der zeitgleichen Avantgarde entsprechende Blasorchestermusik zu hören, wird nur in Einzelfällen auf seine Rechnung kommen. Gerald Fierz charakterisierte nach den Festlichen Musiktagen 1977 die Situation korrekt: „An den Abenden von Freitag und Samstag und am Sonntagvormittag fanden im Usterner Stadthofsaal drei Konzerte statt: vier schweizerische Blasorchester und ein großes Gastorchester aus Sofia, der Hauptstadt Bulgariens, spielten nicht weniger als 16 Uraufführungen – neue Werke von Komponisten aus der halben Welt, die meisten von ihnen für Uster und seine Festlichen Musiktage geschrieben. Sie waren, durchaus verständlicherweise, von sehr unterschiedlichem Gewicht, und wechselnd war auch der Anspruch, den sie an ihre Interpreten stellten. Dennoch boten sie einen sehr aufschlußreichen

Überblick über aktuelle Tendenzen bläserischen Komponierens im weiten Bereiche zwischen unzweifelhaft (spät-)romantischem und total aufgelockertem, oft eindeutig disponierendem Stil, zwischen programmatischer Schilderung und absoluter Form. Fast ganz entfernt haben sich die Blasmusikkomponisten unserer Tage, und das ganz gewiß nicht zum Schaden des Repertoires, von der programmatischen oder sinfonischen Dichtung, wie sie noch bis vor einigen Jahren so überaus beliebt war, entfernt mindestens ganz allgemein (es gab an diesen Festlichen Musiktagen 1977 durchaus auch die Gegenbeispiele...) vom ‚Pathos des großen Blasorchesters‘. Themen und Motive bietet heute gerne die Volksmusik, Handwerkliches im Sinn der barocken Meister tritt des öfteren in den Vordergrund. Wo aber Programmatisches trotzdem noch gemeint ist, wird die große Geste, die ‚heroische‘, die ‚patriotische‘ Gebärde jedenfalls streng gemieden. Auch die einst recht beliebte Naturschilderung, sei sie poetisch, elegischen oder dramatischen Charakters, die Naturidylle sind in den Hintergrund getreten. Und wo solche Naturprogrammatik sich noch hält, legt sie sich die Ingredienzien von Humor, Witz oder Ironie des öfteren zu. Aber auch Rhythmisches, und durchaus nicht immer in der simpelsten Form, vielmehr oft in recht komplizierten, komplexen Mustern, ist in den Vordergrund gerückt" (Der Landbote, Zürich, 14. Okt. 1977; desgl. in: Der Bund, Bern, 14. Okt. 1977).

Entscheidend erscheint, daß die Festlichen Musiktage von Uster heute vom Eidgenössischen Musikverein ideell mitgetragen werden, daß damit der „Mut zu ernster Blasmusik" (Albert Häberling) und zur Auseinandersetzung mit den musikalisch-künstlerischen Stilrichtungen der Gegenwart in die Arbeit der Amateurblasorchester bedachtsam aber stetig hineingetragen wird. In diesem Sinn zählt – dank Uster – das schweizerische Blasmusikwesen heute zu den Vorreitern der Entwicklung in Mitteleuropa.

Werke für Blasorchester 1950–1986 (Auswahl)

1950
M. Arnold, English Dances *
R. R. Bennett, Suite of Old American Dances
E. Leidzen, First Swedish Rhapsody *
V. Persichetti, Divertimento op. 42 *
W. Piston, Tunbridge Fair *

1951
B. Blacher, Divertimento op. 38
M. Boeckel, Introductie, Elegie und Capriccio, Suite

P. Hindemith, Symphonie in B *[100]
G. Jacob, Music for a Festival *
D. Milhaud, West Point Suite, op. 313 *
J. E. Ploner, Die Namenlosen

1952
J. Absil, Rites op. 79
M. Gould, Symphony No. 4 *
F. Königshofer, Gyges und sein Ring / Perikles /Marco Polo
P. Kühmstedt, Sinfonische Musik
G. Lotterer, Ungarische Fantasie Nr. 1
M. Poot, Ouverture rapsodique
R. Russell Bennett, Suite of Old American Dances *

1953
W. G. Bottje, Contrasts
F. Erickson, First Symphony *
D. Gillis, Symphony No. 1
A. Häberling, Burleske
P. Kühmstedt, Comedietta
A. Reed, Slavonic Folk Suite

1954
T. Beversdorf, Symphony No. 3 for Winds and Percussion
F. Königshofer, Anne Boleyn
G. Lotterer, Alpenmelodie
W. Schneider, Suite für Bläser. Aalener Bläsertag / Ländlerische Musik in
  Rondoform

---

[100] C. GALLAGHER, *Hindemith's Symphony for Band,* in: Journal of Band Research 2,
No. 1, 1966, S. 19–22. – Zu den in diesem Verzeichnis genannten Symphonien vgl. L. J.
BLY, *An Annotated Bibliography of Twentieth Century Symphonies in Print for Wind
Ensembles,* ebda. 9, No. 2, 1973, S. 25–33. Nützlich auch die Zusammenstellung von
M. GOOD, *A Selected Bibliography of Original Concert Band Music,* ebda. 18, No. 2, 1983,
S. 12–35; (Fortsetzung) ebda. 19, No. 1, 1983, S. 26–51; die hier genannten Entstehungsda-
ten stimmen jedoch nicht immer mit denen bei SMITH/STOUTAMIRE und BLY überein. – Auf
Daten über die Komponisten und auf Verlagsangaben zu den Werken konnte verzichtet
werden, da Verf. zugleich die 3. Auflage des *Lexikons des Blasmusikwesens,* Freiburg im
Breisgau 1988, Verlag Schulz, sowie den *Konzertführer Blasmusik,* ebda., vorbereitet; in
diesen Büchern werden einschlägige Angaben zu finden sein. – *Wind Ensemble Literature,*
2nd Ed., Madison, Wisc. 1975, hg. von H. R. REYNOLDY u. a.; *Band Music Guide,* 6. Aufl.,
Evanston, Ill. 1975; T. L. DVORAK, *Best Music for Young Band. A Selective Guide,* New
York 1986.

D. Schostakowitsch, Fest-Ouvertüre*
S. Thaler, Die Etsch
R. Wiedemann, Spanische Reminiszenzen

1955
P. Creston, Celebration Overture*
P. Seeger, Lippische Tänze

1956
J. Absil, Roumania op. 92
D. Christoff, Konzert Nr. 2 für Klavier und größtes Blasorchester[101]
W. G. Bottje, Symphony No. 4
F. Königshofer, Die Heimatlosen
W. P. Lathan, Three Choral Preludes*
N. Miaskowsky, Symphony No. 19
P. Seeger, Concerto grosso

1957
M. Arnold, Four Scottish Dances
H. W. Henze, Hochzeitsmusik aus dem Ballett „Undine"
F. Königshofer, Ambassadorenfest, Suite / Orakel von Delphi
N. Rorem, Sinfonia
P. Seeger, Toccata
S. Thaler, Dolomitenzauber, Ouvertüre

1958
R. R. Bennett, Symphonic Songs*
F. Erickson, Second Symphony*
A. Hovhaness, Symphony No. 4
V. Persichetti, Symphony No. 6, op. 69*
S. Thaler, Dolomitenzauber

1959
C. Grundman, American Folk Rhapsody Nr. 2*
A. Hovhaness, Symphony No. 4*
F. Königshofer, Die versunkene Stadt, Ouvertüre
V. Persichetti, Psalm*

---

[101] D. CHRISTOFF, *Das Konzert für Klavier und größtes Blasorchester*, in: Alta musica 8, 1985, S. 238–244.

G. Schuller, Symphony op. 16 *
C. Surinach, Paeans and Dances of Heathen Iberia
H. Villa-Lobos, Fantasy in Three Movements
W. Schuman, New England Triptych *

1960

A. Benz, Sinfonischer Satz
A. Hovhaness, Symphony No. 7
W. Kinzl, Symphonie in c
E. Löffler, Heitere Ouvertüre
P. Scheffer, Highroad Impressions, Suite
G. Scholz, Symphonische Musik
S. Thaler, Konzert-Ouvertüre in Es
C. Williams, Concertino for Percussion and Band *

1961

S. Adler, Southwestern Sketches *
E. Ball, Variations for Brass
A. Benz, Fest im Dorf
I. Dahl, Sinfonietta *
F. Erickson, First Symphony
V. Giannini, Symphony No. 3 *
A. Hovhaness, Symphony No. 14
K. Lendvay, Concertino per Pianoforte, Fiati, Percussion ed Arpa
Willy Löffler, Bolero concertant
T. Mayuzumi, Music with Sculpture
A. Reed, Greensleeves *
P. Seeger, Festliche Intrade /Mährische Rhapsodie
R. Washburn, Burlesk *

1962

H. E. Apostel, Festliche Musik
W. Benson, Symphony for Drums and Wind Orchestra
P. Desprey, Die kleine Welt von Kathy, Suite
A. Häberling, Uster-Suite
E. Hess, Sinfonische Trilogie
H. König, Präludium und Fuge in B
F. Königshofer, Heroische Rhapsodie /Sinfonia
G. Lotterer, Alpenmelodie
F. Peeters, Modale Suite
A. Reed, A Festival Prelude *

S. Thaler, Präludium heroicum
G. Wimberger, Stories für Bläser und Schlagzeug

1963
H. Badings, Concerto for Flute
F. Bencriscutto, Concertino für Tuba und Blasorchester
A. Benz, Heitere Ouvertüre
W. G. Bottje, Symphony No. 6 für Orgel, Bläser und Schlagzeug
J. B. Chance, Incantation and Dance
C. Chavez, Chapultepec *
V. Giannini, Fantasia *
H. Hartwig, Dramatische Legende
A. Hovhaness, Symphony No. 17
R. E. Jager, Symphony No. 1 *
R. Lo Presti, Pageant Overture *
N. H. Long, Concertino for Woodwind Quintet and Band *
R. McBride, Hillcountry Symphony
O. Messiaen, Couleurs de la cite celesta
G. Schuller, Meditation *
H. Somers, Symphony

1964
J. Arendt, Ouvertüre f
A. Benz, Burleske / Romantische Ouvertüre
A. Böhler, Bilder des Lebens
H. Bright, Passacaglia g *
A. Copland, Emblems *
A. Häberling, Frohes Zusammenspiel
V. Hasselmann, Aus dem Schwarzwald, Suite
R. Hemmer, Ouverture symphonique
D. Herborg, Festival, Ouvertüre
R. E. Jager, Symphony
F. Kinzl, Concertino
F. Königshofer, Delisches Tanzspiel / Der Tyrann von Syrakus
S. Lancen, Manhattan Symphony
E. Löffler, Slavische Suite
O. Messiaen, Et exspecto resurrectionem mortuorum *
F. J. Meybrunn, Sinfonisches Vorspiel
J. Meyerowitz, Three Comments on War *
J. Moerenhout, Frühling
S. Tanzer, Klingendes Land, Ouvertüre

1965

S. Adler, Festive Prelude

H. Badings, Pittsburgh Concerto

J. Bavicchi, Festival Symphony

J. H. Bilik, Symphony (1972?)

I. Gotkovsky, Symphony in Two Movements

R. E. Jager, Second Suite * /Third Suite *

F. Königshofer, Aretusa

L. Mimmler, Praeludium concertante

V. Nelhybel, Symphonic Requiem * / Trittico *

G. Schuller, Meditation *

R. Thielman, Chelsea Suite *

C. Williams, Symphonic Suite

1966

D. Amram, King Lear Variations

H. Badings, Symphonie

H. Bielawa, Spectrum

R. Blum, Sinfonie in d für Blasorchester und Männerchor

Ph. J. Bodard, Ouverture pour la fête des Brandons

J. B. Chance, Variations on a Korean Song *

J. Daetwyler, St. Jakob an der Birs, Ouvertüre

N. dello Joio, Scenes from the Louvre *

K. van Dijk, Rondo festivo

E. Hess, Sonata breve

P. Huber, Canzone festiva /Intrada sinfonica

H. König, Sinfonietta in Es / Suite in 3 Sätzen

E. Majo, Nordische Fahrt

B. Mersson, Konzert für Alt-Saxophon und Blasorchester

H. Oghuri, Rhapsody *

V. Persichetti, Celebrations für Chor und Bläser

P. Seeger, Die Bremer Stadtmusikanten, Suite

C. T. Smith, Indental Suite *

F. Thelen, Ruf und Mahnung

L. Weiner, Antropos *

P. Yoder, Pachinko *

1967

J. Davison, Symphony No. 3

F. Deisenroth, Banchetto

H. Haase-Altendorf, Fahrendes Volk

A. Häberling, Suite Romande

W. Hartley, Sinfonia No. 4 *
H. Hartwig, Dramatische Legende
Koh-Ichi Hattori, From the Northern Country *
H. Haufrecht, Symphony for Brass and Tympani
F. Herf, Musica breve
K. Husa, Concerto for Alt-Saxophone *
A. Järnfelt, Präludium *
F. Königshofer, Theseus
P. Kühmstedt, Ballade für Klavier und Blasorchester
M. Mailman, Liturgical Music *
E. Majo, Toccata secunda
A. Makris, Aegean Festival Overture *
E. Mata, Symphony No. 3
K. Penderecki, Pittsburgh Overture *[102]
H. Smith, Expansions *
K. Steward, Symphony No. 2
C. Surinach, Ritmo Jondo – Flamenco *
R. Washburn, Symphony *

1968
T. Akiyama, Japanese Songs *
E. Ball, Romantic Overture
A. W. Benoy, Couperin Suite
L. Fišer, Report[103]
H. Genzmer, Divertimento
J. Gomez, Suite en La
A. Hovhaness, Tapor No. 1 *
K. Husa, Music for Prague *
R. Jager, Sinfonia nobilissima *
Z. Jonak, Kammersinfonie
F. Königshofer, Festliche Trilogie
H. van Lijnschooten, Rhapsody from the Low Countries *
E. Löffler, Nordische Suite Nr. 1
W. F. McBeth, Masque *
M. Poot, Konzertmusik
W. Presser, Symphony No. 2
A. Reed, Russian Christmas Music * /Symphony

---

[102] T. TYRA, *An Analysis of Penderecki's Pittsburgh Overture*, in: Journal of Band Research 10, No. 1, 1973, S. 37–48; ebda. No. 2, 1974, S. 5–12.
[103] R. J. LOCKE, *An Analysis of Report by Lubós Fišer*, in: Journal of Band Research 20, No. 1, 1984, S. 9–19.

L. Weiner, Daedalic Symphony
P. Yoder, Spiritual Rhapsody /Tin Pan Gallery *

1969
E. Majo, Attila
E. Osterling, Symphonic Choral *
C. T. Smith, Acclamation *
M. Tubb, Concert Piece *
F. Walter, Festmusik

1970
C. Grundman, American Folk Rhapsody No. 3 *
G. Jacob, Concerto for Band * / Giles Farnaby Suite *
P. Kühmstedt, Dorisches Klangspiel
W. F. McBeth, Divergents
C. T. Smith, Sonus Ventorum *
H. Walters, Instant Concert *
F. Werle, Sinfonia Sacra *

1971
S. Adler, Southwestern Sketches *
J. Balissat, Triptyque
A. Benz, Der Landvogt von Greifensee, Suite
W. G. Bottje, Symphony No. 8
J. Daetwyler, Concerto pour quatuor de Saxophones et Percussion
J. Golland, Deva, Suite
C. Grundman, An Irish Rhapsody *
A. Häberling, Sinfonietta
K. Husa, Apotheosis of this Earth *[104]
P. Kühmstedt, Comedietta, Suite / Tagebuchblätter
B. Schulé, Concertino für Klavier und Blasorchester
C. Surinach, Sinfonietta Flamenca
F. Tull, Sketches on a Tudor Psalm *

1972
H. Brant, Immortal Combat
J. B. Chance, Symphony No. 2
E. Fülling, Präludium und Fughetta

---

[104] Journal of Band Research 9, No. 2, S. 6–9.

1973

H. Badings, Transitions *
A. Frachenpohl, American Folk Song Suite * / Variations for Tuba and Winds *
P. Huber, Intonation / Fantasia eroica
M. Kawasaki, Fantasy *
E. Majo, Triptychon
H. Moeckel, Jurahöhen, Ouvertüre
G. Mutter, Tripartita
K. Snoeck, Scaramouch-Symphony No. 3 *
W. A. Stärk, Imago Austriae, Suite

1974

R. Russell Bennett, Four Preludes *
W. Benson, The Passing Bell[105]
A. Benz, Vorspiel und Fuge im Barockstil
R. Blum, Musica festiva
M. Boeckel, Constructions
H. Genzmer, Ouvertüre für Uster
A. Häberling, Movimenti /Sinfonietta
K. Husa, Al Fresco
B. Kaneda, Japanese Folk Song Suite *
M. Kawasaki, Suite for Symphonic Band
I. Patachich, Burlesques
A. Reed, Armenian Dances *
A. O. Sollfelner, Karast
K. Vlak, Friesische Fantasie / Young-Ones Partita
D. H. White, Ambrosian Hymn Variants *

1975

T. Ford, Four Contrasts *
P. Huber, Postludium über ein gregorianisches Motiv
E. Majo, Grimming-Impressionen
H. O. Reed, For the Unfortunate *
P. Seeger, Partita
G. Veit, Hexensabbath

1976

F. Bencriscutto, Serenade für Alt-Saxophon und Blasorchester
R. Blum, Sinfonische Metamorphosen

---

[105] W. G. HARBINSON, *Analysis: The Passing Bell of Warren Benson*, in: Journal of Band Research 21, No. 2, 1986, S. 1–8.

H. Geese, Südamerikanische Suite
K. Haidmayer, Klangbilder
H. Kuegerl, Flavia Solva
G. Maasz, Ländliche Festmusik
J. D. Ployhar, Devonshire Overture *
P. Schickele, Grand Serenade *
H. Schröer, Sinfonia piccola
K. Stekl, Musica turca
A. Stoutamire, The Minstrel Boy *

1977
F. Bencriscutto, Dialogue für Klarinette und Blasorchester
A. Benz, Transformationen
R. Blum, Sinfonische Evolutionen
E. del Borgo, Do not go Gentle into that Good Night[106]
L. Borissov, Szenen aus Sofia
J. Ceremuga, Prager Sinfonietta
L. O. Chobanian, Armenian Dances *
A. Häberling, Spielarten
M. Kawasaki, Elegy
E. Krenek, Dream Sequence, op. 224 *
E. Majo, Konzert für Oboe/Saxophon und Blasorchester
I. Patachich, Zwei ungarische Tänze
A. O. Sollfelner, Rhapsodische Impressionen
A. Tscherepnin, Russische Weisen
E. L. Uray, Heterogene

1978
P. Huber, Choral, Variationen und Fuge
R. E. Jager, Symphony No. 2 / Apocalypse
J. W. Jenkins, Toccata op. 104 *
G. T. Kirck, Renaissance Triptych *
H. Kuegerl, Konzert für Trompete und Blasorchester
G. Maasz, Bläserspiel „Laß doch der Jugend ihren Lauf"
B. Mersson, Limmat-Sketches
K. Rehfeld, Augsburger Tafelconfect
W. Schneider, Ein Sommertag, Suite
K. Stekl, Chayenne-Amorphia
R. Zettler, Konzert für Harmoniemusik

---

[106] R. J. TROERING, *An Analysis of Elliot del Borgo's „Do not go Gentle ...",* in: Journal of Band Research 21, No. 1, 1985, S. 1–21.

1979

A. Benz, Fantasia Ticinese / Die schwarze Spinne
P. Creston, Concertino for Marimba and Band *
T. J. Ford, Concert-Suite
K. Haidmayer, Konzert für Alt-Saxophon und Blasorchester
W. Hautvast, Suite Fantasque
P. Kühmstedt, Prelude pastorale
W. Majo, Spektakulum Nr. 2 / Celebration Memory
G. Mutter, Ballade Nr. 2
K. Rehfeld, Kleine Alpenfantasie

1980

I. Gotkovsky, Poème Du Feu
G. Maasz, Tanz-Suite
E. Majo, Variationen und Fugato über ein Thema von W. A. Mozart
K. Rehfeld, Vier ländliche Idyllen
W. Schneider, Sinfonischer Prolog
J. Takács, Suite alt-ungarischer Tänze
G. Veit, Etschland, Ouvertüre

1981

H. Badings, Epiphany
J. Balissat, Incantation et sacrifice
A. Balázs, Musica piccola
C. Bresgen, Media in vita
A. Häberling, Reflexionen für gemischten Chor und Blasorchester
P. J. Korn, Salute to the lone Wolves
K. Rehfeld, Rothenburger Impressionen
M. Schönherr, Symphonischer Marsch

1982

M. Čisar, Beskiden-Tanz
J. F. Hopkins, Symphony No. 6
G. Mutter, Preludio alla marica

1983

H. Badings, Sinfonietta II
A. Balázs, Four Pictures
G. Fischer-Münster, Intermezzo trionfale
A. Häberling, Konzert für Klarinette und Blasorchester
K. Haidmayer, De ilnes ortam
F. Hidas, Rhapsody for Bass Trombone and Wind Band / Merry Music

M. Kagel, 10 Märsche um den Sieg zu verfehlen
E. Majo, Rhapsodische Sequenzen über B-A-C-H
P. Seeger, Rhapsodie nach deutschen Volksliedern
V. Veit, Alpenländische Tanz-Suite

1984
J. Andriessen, Sinfonia „Il Fiume"
H. Badings, Figures sonores
I. Bogár, Székler Männertanz für Solo-Klarinette und Blasorchester
D. Bostock, Saluta
F. Hidas, Suite for Wind Band
G. Jacob, Celebration Overture
A. Loritz, Petite Suite Baroque
K. Pfortner, Capriccio

1985
H. Badings, Images
H. Blank, Concerto grosso für Saxophon-Quartett und Blasorchester
G. Fischer-Münster, Gesang von den Gestirnen. Fantasie für gemischten Chor,
   Sprecher und Blasorchester
I. Gotkovsky, Symphonie de Printemps
A. Häberling, Konfrontationen, Musik über antike Sprüche für Sopransolo,
   Männerchor und Blasorchester
K. Haidmayer, 12. Symphonie
S. Lancen, Ouverture pour un Martin d'Automne
J. Penders, Prima Partita
K. Rehfeld, Preludio piccolo / Preludio rustico
F. Watz, Rumänische Fantasie
R. Zettler, Lyrischer Prolog / Concertino romantico für Posaune und Blasorche-
   ster

1986
H. Badings, Conflicts and Confluences
L. Bernstein, Symphony No. 1 (Jeremiah), instrumentiert von F. Bencriscutto
S. Lancen, Symphony de l'Eau
E. Majo, Extrafonie
D. Maslanka, Symphony No. 2
K. Rehfeld, Pastorale
K. Schoonenbeek, Tristropha
A. Suppan, Johann Joseph Fux-Suite
K. Vlaak, Amsterdam Pictures

D. Für eine Ästhetik der Blasmusik

Konrad Adam berichtet am 3. Juni 1985 in der Frankfurter Allgemeinen Zeitung über das 12. Römerberg-Gespräch zum Thema „Mäzen und Muse – wer hält wen aus: ... Allgemeinverständliches zu produzieren sei nicht Aufgabe der Kunst. Denn nicht die Kultur sei dekadent geworden, sondern das Publikum." Solche Sätze werden dem Musiker Michael Gielen zugeschrieben, der damit ein Bekenntnis zu einer „sperrigen Ästhetik", zu der Verpflichtung, dem Eingeschliffenen und Gewohnten durch „Gegenentwürfe" Widerstand zu leisten, verbindet. Aber was heißt „Allgemeinverständlich", was überhaupt „Verständlich" in der Musik? Was bedeutet es, wenn Musik „Widerstand" ausdrücken/formulieren, Tabus brechen sollte? (Also doch nicht L'art pour l'art sondern eine funktionale, semantisierte, semantisierbare Kunst sei?) Und wenn gar derjenige, der die Kunst produziert, selbst entscheidet, was Kunst sei. (Der Staat, als Subventionsgeber, „hat viel Geld, aber keinen Geschmack ... Wo der Staat nicht urteilen darf und das Publikum nicht urteilen kann, da wird der Künstler selbst zur ersten und letzten Instanz.") Doch: „Was macht die Kunst, wenn alle Tabus gebrochen sind?", so fragt Ulrich Greiner wenige Monate später, am 3. Januar 1986, im Hamburger Wochenblatt „Die Zeit", um damit die Zukunftsvision einer „wieder positiven" Kunst heraufzubeschwören, in der „eine neue Ehrfurcht vor der Form", in der wieder „positive Helden" und in der wieder „frohe Sinngebung" dominieren würden.

Man lernt aus solchen Zitaten, wie sehr die öffentliche Kunstdiskussion heute schwankt: zwischen den Polen einer extremen Form- einerseits und einer extremen Ausdrucksästhetik andererseits.[107] In meiner „Anthropologie der Musik" und vor allem in dem Buch „Musica humana"[108] habe ich aufgrund interkultureller Vergleiche darauf hinweisen können, daß menschlicher Musikgebrauch grundsätzlich biologisch disponiert ist. Doch haben die Tonsprachen – wie die Wortsprachen – in den einzelnen Kulturen dieser Erde recht unterschiedlich sich entfaltet und auch innerhalb der einzelnen Kulturen zeit-, schichten- und situationsspezifische Funktionen und Strukturen ausgebildet. Aus der Geschichte unserer eigenen Kultur, der sogenannten europäisch-abendländischen oder „westlichen", wissen wir, daß Johann Sebastian Bach für die Menschen seiner Zeit eine andere Musik vorsah als Beethoven für seine Zeitgenossen oder Alban Berg für die Menschen des 20. Jahrhunderts. Und jeweils, bei Bach, Beethoven oder

---

[107] W. SUPPAN, *Franz Liszt – zwischen Friedrich von Hausegger und Eduard Hanslick. Ausdrucks- contra Formästhetik*, in: Studia musicologica 24, 1982, S. 113–131.

[108] W. SUPPAN, *Der musizierende Mensch. Eine Anthropologie der Musik*, Mainz 1984 (Musikpädagogik. Forschung und Lehre, hg. von S. ABEL-STRUTH, Band 10); ders., *Musica humana. Die anthropologische und kulturethologische Dimension der Musikwissenschaft*, Wien u. a. 1986 (Forschen – Lehren – Verantworten, hg. von B. SUTTER, Band 8).

Berg, waren/sind es nur bestimmte Gesellschaftsschichten einer bestimmten Kultur, die „angesprochen" werden, von denen die Komponisten meinen, daß diese ihre Werke „verstehen" würden. Doch auch „Verstehen" mag zumindest zweierlei auszudrücken: (1) einmal, als Mozart die Musik zu Schikaneders „Zauberflöten"-Text niederschrieb, da sollten die Zuschauer/Zuhörer einer „Zauberflöten"-Aufführung die im Text ausgesprochene und in der Musik kodierte Freimaurer-Ideologie „verstehen" lernen, um die moralischen Werte dieser Ideologie in sich aufzunehmen; (2) heute meinen Besucher einer „Zauberflöten"-Aufführung, sie würden diese Oper „verstehen", wenn sie die Äußerlichkeiten der musikalischen Form intellektuell mitvollziehen, wenn sie über die Qualität der Sänger-Darsteller, des Dirigenten und des Orchesters im Kreis der „Kenner" mitdiskutieren könnten. Vom Inhalt des Textes Schikaneders spricht niemand, fühlt niemand sich angesprochen. Und weil wir uns angewöhnt haben, Alte Musik so zu hören, nähern wir uns auf diese Art auch der zeitgenössischen Musik. Alban Bergs „Wozzeck", 1981 in Hamburg neuinszeniert, provoziert den Musikredakteur der „Zeit" (10. April 1981), Heinz Josef Herbort, zu der Aussage, „daß bestimmte Intervall-Schichtungen wie Chiffren wirken und emotionale Zustände, Entwicklungen, Verhältnisse signalisieren" würden. Kein Opernbesucher bemerkte dies offensichtlich (oder will/darf es bemerken); die Leute „strömen herein, kaufen die Opernhauskassen leer, sitzen wie gebannt ... sind fasziniert vom leichten Vibrato des italienischen Tenors". Niemand hört in diesem „Wozzeck" den „Aufschrei der ‚armen Leut'", und reihenweise rührt sich keine Hand, gibt niemand ein kleines Zeichen davon, daß er betroffen ist" (Die Zeit, 30. April 1982).

In diesem Sinne ruft Nikolaus Harnoncourt dazu auf, die Musik wieder „sprechend zu machen", die Musik vom Nur-Schönen wieder zum Bewegenden zu führen, den Opernhaus- und Konzertsaalbesuchern wieder bewußt zu machen, daß es da etwas „zu verstehen" gäbe. „Ich glaube, nur wenn es uns gelingt, den Musiker die Sprache, oder besser die vielen Sprachen der vielen musikalischen Stile, wieder zu lehren und im selben Maß auch die Bildung des Hörers zum Verständnis dieser Sprache zu erreichen, wird eines Tages dieses stumpfsinnig-ästhetisierende Musizieren nicht mehr akzeptiert werden ... Und als logische Konsequenz davon wird dann auch die Trennung von ‚Unterhaltungs-' und ‚Ernster' Musik und schließlich auch von Musik und Zeit verschwinden und das kulturelle leben wieder zu einer Gesamtheit werden (Nikolaus Harnoncourt.)[109]

Diese von einem Musikpraktiker, keinem Musikwissenschaftler oder Kunstphilosophen, ausgesprochene Einsicht, führt von der allgemeinen Kunstbetrach-

---

[109] N. HARNONCOURT, *Musik als Klangrede. Wege zu einem neuen Musikverständnis*, Salzburg 1982, S. 19–31.

tung unserer Tage unmittelbar zu den Ansätzen einer Ästhetik der Blasmusik. Ich zitiere nochmals Harnoncourt: „Vielleicht könnten wir anhand der Unterhaltungsmusik am besten verstehen, was die Musik früher einmal im Leben war; denn in ihrem, allerdings sehr schmalen, Bereich ist die Unterhaltungsmusik heute noch ein notwendiger Bestandteil des Lebens" (S. 21). Es soll nicht Gegenstand der Auseinandersetzung sein, ob die Unterhaltungsmusik heute einen sehr schmalen gesellschaftlichen Bereich erfassen würde: die Statistiken sprechen da eine andere Sprache, wohl aber versuchen wir davon auszugehen, daß Harnoncourt von einem „notwendigen Bestandteil des Lebens" spricht, der da (ohne auf „Unterhaltungsmusik" eingeschränkt zu sein) u. a. am Blasmusikbereich zu erweisen ist.

Einer Ästhetik der Kunst um der Kunst willen, in der das „autonome Kunstwerk" sich selbst genügt und die Qualifikation an der Machart/Analyse/Interpretation sich orientiert, steht die Ästhetik des Gebrauchsgegenstandes Kunst/Musik gegenüber, die aufgrund von physiologischen und psychologischen Wirkungen einstuft. Darin liegen m. E. die Ansätze einer blasmusikgemäßen Ästhetik. Der Blick in andere Kulturen – wie ihn die Musikethnologie ermöglicht – und in die verschiedenen Gesellschaftsschichten der eigenen Kultur – den die Musiksoziologie bietet – schärft und relativiert die musikästhetische Theoriebildung. Den musikethnologischen Aspekt verdeutlicht John Blacking dadurch, daß er artifizielle und Popularmusik miteinander verbindet und die These hinstellt: „Making artistic popular music" sei das wahre Ziel jedes musizierenden Menschen; denn „there is good evidence that for over ninety-nine per cent of human history, and for ninety-seven per cent of the time since the emergence of our own species (homo sapiens sapiens) approximately 70,000 years ago, all music was popular, in so far as it was shared and enjoyed by all members of a society. If there were distinctions of style within a society's music, they were accepted as signs of functional or social differentiation rather than as barriers to mutual communication".[110] Diese Aussage begründet Blacking so: „First, all members of the species are basically as capable of dancing, singing and making music, as they are speaking a natural language... Second, performing music, like speaking a verbal language, is part of the process of knowing and understanding it... Third, music and music-making can in principle be assigned almost any social, political or religious meaning, and treated like any other social activities, but the symbols that are invoked also involve the body in such a way that they sometimes acquire a force of their own. Musical performance can express and evoke sensuous experiences that can be, and often are, related to feelings... Fourth, although musical codes can express and evoke feelings as well es new sound experiences, and human emotions

---

[110] J. BLACKING, *Making Artistic Popular Music: The Goal of True Folk*, in: Popular Music 1, 1981, S. 9–14.

are broadly similar throughout the world, music is *not a universal language…*
Musical codes … are socially accepted patterns of sound that have been invented
and developed by interacting individuals in the context of different social and
cultural systems" (S. 9 f.). Dies bedeutet weiter, „music is a social fact… Ethno-
musicological research has reminded us that music-making must always be
regarded as intentional action, and that the actors' reasons for what they do must
be taken into account. *Art does not consist of products, but of the processes by which
people make sense of certain kinds of activity and experience"* (Blacking, S. 10 und
12, Hervorhebungen durch den Verf.).

Dazu fügt sich die Einschätzung des Wiener Musiksoziologen Kurt Blaukopf,
daß eine Definition, die „Musik" als „Kunstdisziplin" begreift, „von eurozentri-
schen Ideen" ausginge, „weil sie den Begriff der Musik von Haus aus mit dem
Begriff der Kunst assoziiert und ihn dadurch absichtlich oder ungewollt auf die
Darbietungsmusik als Kunst reduziert… Nicht das musikalische Kunstwerk –
ein spätes Sonderphänomen der abendländischen Geschichte – steht … im
Zentrum der Musiksoziologie, sondern das musikalische Verhalten der Menschen
in verschiedenen Kulturen.[111] Damit ist der Schritt zur Verhaltensforschung hin
gewiesen, die ihrerseits vokales und instrumentales Musizieren und Tanzen als
Regulans psychischer und gruppendynamischer Prozesse erkannt hat.[112]

Dies alles ist zu berücksichtigen, um eine Ästhetik der Blasmusik nicht als die
einer Unterordnung, als die einer „niederen" Gattung der absoluten Tonkunst zu
entwickeln. Nicht um Wert an sich (um eine absolute Größe) kann es gehen
sondern nur um Werte für jemanden (um relative, kultur- und schichtenspezifi-
sche Größen). Wie „groß" Bach, Mozart, Beethoven, Wagner, Mahler oder
Penderecki sind, sollte jede Generation neu überdenken.

Konkret zur Blasmusik: Entstanden aus militärischen Signal- und angstma-
chenden (lauten) Musikformen, ist sie während der gesellschaftlichen Umschich-
tungen und aufgrund der technischen Entwicklung der Holz- und Blechblasinstrumente während des 19. Jahrhunderts in Europa als militärische ebenso wie als
zivil-städtische und dörfliche Repräsentations- und Unterhaltungsmusik in neue
Aufgabenbereiche hineingewachsen. Sehen wir vom „Marsch" ab, zunächst ohne
„eigene" Literatur, übernahm das Blasorchester die Aufgabe, die Kompositionen

---

[111] K. BLAUKOPF, *Die Bedeutung der Volksmusikforschung für die Musiksoziologie*, in:
Blätter der Hochschule für Musik und darstellende Kunst in Wien, 2. Jg., Nr. 1, Dezember
1985, S. 4.
[112] I. EIBL-EIBESFELDT, *Die Biologie des menschlichen Verhaltens. Grundriß der Human-
ethologie*, München – Zürich 1984. Auf die Musik bezogen von W. SUPPAN, *Menschen-
und/oder Kulturgüterforschung (?). Über den Beitrag der Musikwissenschaft zur Erforschung menschlicher Verhaltensformen*, in: Karbusicky-Festschrift = Hamburger Jahrbuch
für Musikwissenschaft 9, 1986, S. 37–66.

der Zeitgenossen: von Ludwig van Beethoven und Karl Maria von Weber bis Richard Wagner und Richard Strauss, in Bearbeitungen unter die Leute zu bringen, zu popularisieren. Es wurde in diesem Buch bereits gesagt, daß die genannten und weitere Komponisten des 19. Jahrhunderts diese Funktion des Blasorchesters durchaus begrüßten, zum Teil selbst mit trugen. Doch diese Aufgabe wurde mit der zunehmenden Komplizierung der musikalischen Anforderungen und der Professionalisierung des Musikbetriebes im ausgehenden 19. und im beginnenden 20. Jahrhundert immer schwieriger und damit problematischer. Bei den „nicht mehr popularisierbaren" Kompositionen eines Arnold Schönberg oder eines Paul Hindemith endet diese Phase.

Zugleich beginnt – u. a. mit Arnold Schönberg und mit Paul Hindemith – ein neues Bewußtsein sich auszubreiten: nämlich das Blasorchester als eigenwertigen Klangkörper zu betrachten und ihm eine spezifisch(-pädagogische), die Instrumentation als Bestandteil der Komposition verstehende Literatur zu geben.

Damit trennen sich die Wege. Blasmusik(-Ästhetik) koppelt sich von der allgemeinen Entwicklung der Musik(ästhetik) ab; denn Schönberg und Hindemith schreiben anders, wenn sie für Amateur-Blasmusik schreiben. Eine eigene, auf die Blasmusik spezialisierte Komponistengeneration wächst heran und nimmt sich des zudem kommerziell interessanten Marktes an. Heute benötigen etwa 11 000 Blasorchester allein im mitteleuropäischen Raum der BRD, Österreichs, der Schweiz und Südtirols alljährlich mehrere „neue" Stücke; denn die Blasmusik bleibt zum Unterschied vom allgemeinen Musikleben durchaus zeitgenössisch orientiert, historische Musik findet sich nur selten in den Konzertprogrammen. Die Voraussetzung für eine solche zeitgenössische Orientierung des Repertoires bleibt allerdings, daß die Blasmusik nicht die von der jeweiligen Avantgarde in der Musik erschlossenen neuen Stile/Moden mitmacht[113], sondern daß das Neu-Entstehende im Klangbild konventioneller Stile (von der Renaissance bis zur Spätromantik) sich entfaltet. Musik „verstehen" bedeutet für den Blasmusik-Amateur und sein Publikum, die gewohnten Melodien, Klänge, Rhythmen der barocken, klassischen, romantischen Musik unserer Kultur – teilweise in folkloristisch-exotischer Verbrämung – wiederzuerkennen, u. U. außermusikalischen Ereignissen zuzuordnen, dabei „musikalischen Genuß" zu empfinden[114] und sich

---

[113] Daß es andererseits durchaus Blasorchesterkompositionen gibt, die auf der Höhe der Zeit stehen, bezeugt E. BRIXEL, *Blasmusik und Avantgarde*, in: Alta musica 4, 1979, S. 33–65.
[114] H. FEDERHOFER, *Der musikalische Genuß als ästhetisches Problem der Gegenwart*, in: Studia musicologica 11, 1969, S. 133–143; ders., *Neue Musik. Ein Literaturbericht*, Tutzing 1977.

zu erfreuen, zu entspannen, im Bewußtsein, daß es „schön" war, nach Hause zu gehen.[115]

Eben diese retrospektive Ausrichtung, dieses der Entwicklung Nachhinken – sowohl in bezug auf die Strukturierung des Materials wie in bezug auf die Genuß-Ästhetik wie in bezug auf die funktionale Bindung des Musizierens – wird dem Blasmusikwesen zum Vorwurf gemacht. Wohl nur deshalb, weil soziologisch und kompositionstechnisch blasmusikfremde (d. h. an der Idee der absoluten Ton-kunst entwickelte) Kriterien angelegt werden. Dabei zeigt gerade das Beispiel Ernest Majos, daß ein Komponist, der seit etwa 1950 allein Musik für Blasorche-ster schreibt, durchaus einen anderen Weg hätte gehen können, ja, daß dieser „andere Weg" sogar vom Studiengang und von den frühen kompositorischen Vorbildern und Ambitionen her durchaus denkbar gewesen wäre. Genzmer, Hindemith, Strawinsky prägten den jungen Majo, ehe er – nach eigener Aussage – zur Blasmusik stieß und dies nie als Einengung sondern eher als Bereicherung seiner schöpferischen Möglichkeiten empfand. Das bedeutet: ein anderer Blick-winkel, eine andere soziologische Einbettung begründen auch eine anders gewich-tete Ästhetik.

Wer nach der Kunst und ihrer Wahrheit, nach dem Ästhetischen und seiner Schönheit fragt, hat dabei den gesellschaftlichen Umkreis, in dem er sich bewegt, mitzudenken. Jüngere Kunsttheoretiker, so der Berliner Philosoph Franz Koppe, wenden sich aus diesem Grund „gegen die Unterschlagung des Zusammenhanges von Kunst und Leben im Abseits belangloser Theorien des L'art pour l'art", gegen „Restkriterien des Ästhetischen... Sorten von Verfahren, die nichts weiter über ihren [der Kunst] Sitz im Leben besagen... Ohne begriffliches Fundament ist

---

[115] Dazu H. Bruhn, in: Musikpsychologie. Ein Handbuch in Schlüsselbegriffen, hg. von dems. u. a., München u. a. 1985, S. 402 f.: „Bei vielen Laien scheint die Motivation zum Musizieren in erster Linie aus der Freude am Spielen mit dem Instrument zu bestehen. Das heißt, die Freude daran, daß hier etwas funktioniert, was man selbst manipulieren kann... Auf einer künstlerisch höheren Stufe steht die Motivation, mit Hilfe des Musizierens Gefühle und Stimmungen darstellen zu wollen... Silbermann führt als wesentliche Ele-mente der Freizeiterfüllung durch künstlerische Tätigkeit folgendes [!] an: Antithese zur Arbeit, psychologischer Ausdruck von Freiheit, Befriedigung des Spielsinnes, unabsichtli-che Erfüllung sozio-kultureller Rollenverpflichtung (zur Bildung), Verbindung zu den Werten der Kultur, angenehme Erwartung und Erinnerung. Musik wird, anders ausge-drückt, zum Hilfsmittel bei der Erholung oder Regeneration." – Bruhn benutzt allerdings das in Amateurmusikkreisen nicht gern gehörte und wohl auch unpassende Wort „Laienmu-sizieren", von dem er selbst sagt (S. 399): daß es „eher abwertenden Beiklang hat. Als laienhaft oder dilettantisch werden Aufführungen und Konzerte bezeichnet, die künstle-risch nicht so recht gelungen sind." In den Statistiken, die Bruhns benutzt, erscheint das Blasmusikwesen nicht, so daß die Angaben bezüglich der Anzahl der Amateurmusiker und auch der Musikinstrumente nicht der Realität entsprechen. Vgl. W. Suppan, *Amateurmu-sik,* in: In Sachen Musik, hg. von S. Abel-Struth u. a., Kassel 1977, S. 97–105.

nicht nur keine Ästhetik als philosophische Disziplin möglich, sondern auch keine fundierte Wissenschaft von den einzelnen Künsten. Daß solche faktisch floriert, ändert daran wiederum nichts. Kann man doch bücherweise über Kunst handeln und das Wort ‚Ästhetisch' dauernd im Munde führen, ohne daß irgendwann irgendwo deutlich würde, was damit eigentlich gemeint ist. Und in der Tat wird von dieser Vokabel in den Kunstwissenschaften nach wie vor reichlicher Gebrauch gemacht. während das Prädikat ‚schön' hier nicht mehr vorkommt. *Gerade dort scheint aber der Lebensbezug am ehesten gewährleistet* zu sein" (Franz Koppe[116]).

Zum Unterschied von der in der historischen Musikforschung seit Hanslick und bis zu Adorno rezipierten und zu einer Ideologie verfestigten Kunsttheorie vom „zwecklosen Wohlgefallen" an den „tönend-bewegten Formen", blieb die Musikpädagogik stets offen für positivistische, psychologisch und anthropologisch begründete musikästhetische Ansätze. Seit Herder, Pestalozzi, Nägeli wird das „Lehrprinzip des musikalisch Volkstümlichen" in seinem Eigenwert und als Propädeutikum für „schwierige Musik" genutzt. Volkstümlich meint dabei „allgemein verständlich" sowie „Bindung an Funktionen im Alltag, Unterhaltung und Fest, Freizügigkeit in Besetzung" (Sigrid Abel-Struth[117]). In mehreren Wellen und jeweils eingebettet in reformpädagogische Modelle gewinnt die Idee des Volkstümlichen Eigenständigkeit, sie entfaltet sich als festumrissene pädagogische Aufgabe: Zunächst während der zu Ende des 19. und zu Beginn des 20. Jahrhunderts einsetzenden Kulturkritik[118], dann bei den Vertretern der musikalischen Jugendbewegung der Zwischenkriegszeit (Fritz Jöde, Leo Kestenberg, Hans Mersmann – und Paul Hindemith), schließlich in „politische Erziehung" umgewandelt während der Jahre 1933 bis 1945 – und nochmals zurzeit der sog. Restauration in der deutschen Musikpädagogik der frühen fünfziger Jahre. Seit der Jugendbewegung werden dabei Schulmusik und außerschulische Jugend- und Erwachsenenbildung als eine Einheit gesehen. Daraus entspringen Hindemiths Bemühungen um die Amateurblasmusik und um das Chorwesen. (Auch Béla Bartóks und Zoltán Kodálys Initiativen in Ungarn sowie Carl Orffs „Schulwerk" sind in diesem Zusammenhang anzuführen.)

Die zeitweilige Bindung an den Nationalsozialismus hat diese Richtung zwar kompromittiert, aber keinesfalls in ihrer Idee ad absurdum geführt. Sonst hätte

---

[116] F. KOPPE, *Grundbegriffe der Ästhetik,* Frankfurt 1983 (edition suhrkamp NF 160), S. 20, 119.

[117] S. ABEL-STRUTH, *Grundriß der Musikpädagogik,* Mainz u. a. 1985, S. 364f.

[118] Sehr typisch dafür A. HALM, *Einfache Musik,* erstmals publiziert 1918, ich zitiere aus dem Neudruck in: Die Volksmusik 2, 1937, S. 41–46: „Das Verlangen nach leichter und einfacher Musik war wohl stets da, und naturgemäß wurde es desto lauter, je weiter die Kunstmusik ins Schwierige und Verwickelte hineinwuchs."

nicht Arnold Schönberg im Jahr 1943 sich ihrer bedient, um auf Ersuchen von Carl Engel, dem Präsidenten des Musikverlages G. Schirmer, eine solche „pädagogische" Musik für die US-amerikanischen Schulorchester zu schreiben. In einem Brief Schönbergs heißt es, daß Carl Engel „complained that the great number of such bands had an important influence on *the development of love for music* in America, but unfortunately there are only a small number of good original compositions available, while for the most of their playing they are limited to arrangements. A considerable part of these arrangements reveals a poor or at least a low taste; and besides they are not even well orchestrated... It is one of those works that one writes in order to enjoy one's own virtuosity and, in addition, to give a group of amateurs – in this case, wind bands – something better to play. I can assure you – and I think I can prove it – that as far as technique is concerned it is a masterpiece; and I know it is inspired. Not only because I cannot write even ten measures without inspiration, but I really wrote the piece with great pleasure."[119] Schönberg hoffte, daß diese Komposition für Blasorchester „nach dem Krieg ... auch in Europa verlangt werden" würde, doch hat sich diese Hoffnung bislang kaum erfüllt.

Schönberg spricht hier von Fakten, die in der Musikgeschichte des 19. Jahrhunderts in Europa im Zusammenhang mit der Blasmusik zu fixieren sind: daß nämlich infolge der weiten Verbreitung und der Popularität dieser Blasmusik die „Liebe zur Musik" und zu den großen Persönlichkeiten allgemein unter der Bevölkerung entwickelt würde, obgleich das Repertoire der Blasorchester dem „Kunstkenner" eher einen negativen Beigeschmack abnötigte. Doch Schönberg hatte selbst Freude an der Entstehung dieser Komposition, mit der er den Amateuren „bessere" Musik anbieten wollte. Es sei in technischer Hinsicht ein Meisterwerk, inspiriert, weil er gern daran gearbeitet hätte. Später hat Schönberg allerdings abgeschwächt, wenn er an den Dirigenten Fritz Reiner schreibt: es „ist nicht eines meiner Hauptwerke; das kann jeder sehen, denn es ist keine Komposition mit zwölf Tönen". Und an anderer Stelle: Das Stück könne „nur als eine vorbereitende Einführung in meinen jetzigen Kompositionsstil bezeichnet werden".[120]

Nochmals zur Frage, was machen Hindemith, Krenek, Toch, Gál, Grabner, Genzmer, Schönberg u. a. anders, wenn sie für Amateurblasorchester komponieren:

---

[119] Zitiert nach N. SMITH und A. STOUTAMIRE, *Band Music Notes,* San Diego, Cal. (Revised Ed.) 1977, S. 202.
[120] Zitiert nach W. SCHMIDT-BRUNNER, *Arnold Schönbergs „pädagogische" Musik: Suite für Streichorchester (1934) und Thema und Variationen für Blasorchester op. 43 A (1943),* in: Alta musica 8, 1985, S. 236.

1. Sie nehmen Rücksicht auf das Können der Amateure.

2. Diese Rücksichtnahme kann sich in zwei Bereichen auswirken: (a) bezüglich der technischen Reproduzierbarkeit, es werden besondere Schwierigkeiten in den einzelnen Musikinstrumenten sowie im Zusammenspiel vermieden, (b) der gehörmäßige Zugang wird „erleichtert", indem etwa Schönberg nicht in der sonst bei ihm üblichen Zwölftontechnik strukturiert.

3. Der pädagogische Aspekt steht im Vordergrund: nämlich (a) in verschiedene Stilbereiche historischer Musik einzuführen; Hermann Grabner revitalisiert die Concerto grosso-Form; Dimitri Schostakowitsch instrumentiert zwei Stücke von Domenico Scarlatti für Blasorchester, (b) den ländlich-festlichen Bezug, in dem die Amateure leben, durch entsprechende Titel hervorzukehren: Hugo Herrmann schreibt eine „Süddeutsche Dorfmusik"; Willy Schneider die „Notzinger Dorfmusik"; Edmund Löffler eine „Ländliche Suite", (c) durch Volkslied-Modelle den Bekanntheitsgrad zu erhöhen: Paul Hindemith benutzt in der Konzertmusik das Lied vom Prinzen Eugen; Friedrich Deisenroth schreibt die „Heraldische Musik über das Landsknechtslied ,Wir zogen in das Feld'", (d) durch anspruchsvolle Gestaltung schrittweise zur zeitgleichen Avantgarde-Musik hinzuführen.

4. Die Besetzung wird – innerhalb festliegender Grenzen – variabel gehalten; denn die Stärke der Amateurorchester richtet sich nach lokalen Möglichkeiten und nach landschaftlichen Traditionen.

5. Eine außermusikalische Funktion oder ein „Programm" schaffen Bezugspunkte: Alfred von Beckerath, Heitere Suite, mit den Sätzen „Fröhliche Eingangsmusik", „Abendmusik", „Festlicher Tanz"; Stephan Jaeggi mit der Schilderung des Unterganges der „Titanic"; Sepp Tanzer mit der Erinnerung an „Tirol 1809".

Schränken diese fünf Punkte den künstlerischen Wert einer Komposition ein? Etwa deshalb, weil ohne frei-schöpferische Phantasie und ohne Freiheit der Besetzungs- und (professionellen) Musikerwahl kein autonomes Kunstwerk entstehen könnte? Ist Schönbergs op. 34 A ein Werk geringeren Kunstwertes als das Bläserquintett op. 25, weil das eine nicht, das andere wohl in Zwölf-Ton-Technik geschrieben ist, das eine nicht, das andere damit schon zu den Hauptwerken zählt? – Bei den pädagogischen Werken für Liebhaber-Streichorchester oder im Bereich der Kammermusik für Amateure ist jedenfalls m. W. nie die Rede von minderwertiger Musik, – warum sollte dies für Blasorchesterwerke gelten, die in der selben Intention und mit den selben handwerklichen Gestaltungs- und Ausdrucksmitteln hergestellt wurden/werden? Selbst in der GEMA wird seit einigen Jahren Musik für Blasorchester nicht mehr grundsätzlich der U-Musik zugerechnet, sondern der Einstufungsausschuß entscheidet anhand der Partituren über die Zugehörigkeit zur E- oder zur U-Musik.

Schon 1964 hat Walter Wiora in seinem Buch „Komponist und Mitwelt" versucht, seinen Fachkollegen ans Herz zu legen, die Frage nach den einstigen und heutigen Verhältnissen zwischen Komponist und Mitwelt im Zusammenhang zu untersuchen und darzustellen, und dabei gemahnt: „Es ist puristisch, alle Einstellung auf Praxis und Zuhörer als Konzession und Konformismus zu verpönen. Ein Redner ist kein Konformist, weil er so laut und deutlich spricht, daß ihn die Zuhörer verstehen können; er ist Konformist, wenn er gegen besseres Wissen den Leuten nach dem Munde redet. Desgleichen gehört er zur Normalform des Komponierens als einer ‚sozialen Handlung', singbar, spielbar und für den intendierten Hörerkreis verständlich zu schreiben"; denn von „vornherein ist der Begriff ‚Komponist' nicht ohne eine Mitwelt denkbar, und andererseits ist jeder Komponist, als solcher wie als Privatperson, Glied einer Mitwelt und Mitglied einer Lebenswelt".[121] Für Wiora, dessen Denken entschieden von Johann Gottfried Herder geprägt ist, jenem Herder, der als „Entdecker der anthropologischen Dimension sowohl im Sinne der heutigen geisteswissenschaftlichen Anthropologie ... wie auch im Sinne der biologischen Anthropologie" geradezu neu entdeckt wird[122], verwirklicht sich Musik im hörenden/ empfindenden Menschen: durch ihre Funktion und ihre Wirkung. Form und Struktur sind die Vehikel, mit deren Hilfe der Sänger/Musiker sich und etwas mitteilt.

Nicht die Verfasser musikästhetischer Schriften der jüngeren Zeit, wohl aber Kunstphilosophen[123], Psychologen und Pädagogen sind daran interessiert, solche Fragen nach dem „Gebrauchtwerden" von Musik nachzuprüfen. „Ausgangspositionen für musikalisches Schaffen ergeben sich – neben Potenz und Intuition des Komponisten – aus dem Gebrauchtwerden von Musik und aus dem Musikverhalten der Hörer ... ‚Sendungsbewußtsein' oder geniekultverpflichtete Ansichten – bekannt aus romantischen Positionen – mißachten gesellschaftlichen Anspruch ... Wichtiger ist das Ausgehen von der möglichen dialogischen Beziehung zwischen Autor (Komponist) und Hörer ... Durch Gebrauch von Musik in konkreten Existenzweisen in der Gesellschaft, ‚im konkreten Formgebrauch, entsteht Wertform' ... Gesellschaftlich vollzogener Gebrauch und die Bewertung von Musik konstituieren deren ästhetischen Gebrauch. Der Komponist wird gut tun, sich als Teil dieses Prozesses zu begreifen."[124]

---

[121] W. WIORA, *Komponist und Mitwelt*, Kassel u. a. 1964 (= Musikalische Zeitfragen, Band 6), S. 14–17.

[122] J. BIRKENHAUER, *Herder – nur eine ideengeschichtliche „Station"?*, in: Universitas 41, 1986, S. 164.

[123] Vgl. dazu die Diskussion in Kolloquium Kunst und Philosophie, 3 Bände, hg. von W. OELMÜLLER, Paderborn u. a. 1981–83; dazu W. SUPPAN, *Menschen- und/oder Kulturgüterforschung ...*, wie Anm. 112.

[124] S. BIMBERG, *Komponist und Gesellschaft*, in: Musikpsychologie. Ein Handbuch in Schlüsselbegriffen, hg. von H. BRUHN u. a., München u. a. 1985, S. 307–311.

Hervorheben möchte ich hier: Durch den Gebrauch ... entstehen Wertformen!
– „Aber es muß ja ein Gebrauchslied werden, es muß wirklich gesungen werden,
sonst hat es ja keinen Zweck es zu schreiben": antwortet Robert Götz auf die
Frage von Ernst Klusen, was denn im Vordergrund seiner Überlegungen stünde,
wenn er ein Lied komponierte.[125] Ebenso würden jene Komponisten antworten,
die sich darauf spezialisiert haben, Werke für Amateurblasorchester zur Verfügung zu stellen. Sie wissen, daß ihre Musik erwartet wird, daß man ihre Stücke
drucken und spielen wird. Wie trostlos ist dagegen das Dasein manches (Auch-)
Avantgarde-Komponisten, der im Grunde für die Schublade schreibt, der sich um
eine einzige Aufführung bei irgendeinem Avantgarde-Festival abstrampelt – um
dann wieder in der Versenkung zu verschwinden. Der letztlich weiß, daß – wenn
überhaupt – sein Werk nur mit Hilfe öffentlicher Subventionen aufgeführt werden
kann, daß nur Musikjournalisten ihn hören und beurteilen werden, daß das
Publikum aber wegbleibt. Es ist eine ungeliebte, im doppelten Sinn zwecklose
Musik, an der nicht einmal „zweckloses Wohlgefallen" sich entzündet. Und
daraus ergibt sich die zu Eingang dieses Abschnittes zitierte Trotzreaktion
Michael Gielens: Allgemeinverständlichkeit zu produzieren, sei nicht Aufgabe
der Kunst, das Publikum sei dekadent geworden, der Staat habe keinen Geschmack ...

Eine Ästhetik des zeitgenössischen Blasorchesters basiert darauf, daß es den
primären Sinn des Musizierens erfüllt: „Teil der Symbolwelt des Menschen:
Mitteilung, Kommunikation, Interaktion" und damit unverzichtbarer
Gebrauchsgegenstand des Menschen in seiner Kultur und Lebenswelt zu sein.[126]
Ästhetische Wertsetzung gründet in diesem Teilbereich der Kultur[127] in erster
Linie auf der Funktionsanalyse und erst in zweiter Linie auf Form- und Struktur-
analysen[128]; denn (nochmals) es „gehört zur Normalform des Komponierens als
einer ‚sozialen Handlung' singbar, spielbar und für den intendierten Hörerkreis
verständlich", d. h. brauchbar zu schreiben (Walter Wiora, wie oben).

---

[125] R. Götz, *Ich wollte Volkslieder schreiben. Gespräche mit Ernst Klusen*, Köln 1975,
S. 36 (Musikalische Volkskunde, Materialien und Analysen, Band 6).

[126] W. Suppan, *Anthropologische Ansätze in den Musikwissenschaften. Entwurf einer
Anthropologie der Musik*, in: Anthropologie der Musik und der Musikpädagogik = Musik
im Diskurs 4, hg. von R. Schneider, Regensburg 1987, S. 25–54.

[127] K. Blaukopf u. a. (Hg.), *Kultur von unten. Innovationen und Barrieren in Österreich*, Wien 1983, S. 26, formulieren dazu: „... daß der überwiegende Teil kultureller
Aktivitäten der Bevölkerung nicht dem ästhetisch-abgehobenen Bereich angehört, sondern
vielmehr in den gesellschaftlichen Kontext des öffentlichen und privaten, bürgerlichen und
religiösen Lebens eingebettet ist."

[128] „Trivialität" ist nicht an der musikalischen Gestalt festzumachen, sie ergibt sich aus
„Ver-rückungseffekten", wie ich an anderer Stelle deutlich machen konnte: *Zum Problem
der Trivialisierung in den Kunstliedern im Volksmund*, in: Das Triviale in Literatur, Musik
und Kunst, hg. von H. de la Motte, Frankfurt 1972, S. 148–162. – E. Haselauer,
Handbuch der Musiksoziologie, Wien–Graz–Köln 1980.

II. DAS BLASORCHESTERSCHAFFEN ERNEST MAJOS

Aus dem Studiengang Ernest Majos wissen wir, daß er seit dem Beginn der dreißiger Jahre mit den jeweils avantgardistischen Kompositionsverfahren sich vertraut machte und damit – einschließlich der von Arnold Schönberg und Joseph Matthias Hauer herkommenden atonalen Strukturierungsmöglichkeiten – experimentierte. Doch hatte Majo neben dem Überdenken musikimmanenter Gestaltungsfaktoren, das ihn lebenslang beschäftigte, stets den „demokratischen" Ehrgeiz, nicht allein elitäre Kreise von Kennern anzusprechen. In und mit seiner Musik sollten sich viele Menschen darstellen, mitteilen können. Schon seine Lehrer Ottmar Gerster und Hermann Erpf standen der Hindemith'schen Idee nahe, dem großen Potential an Liebhabermusikern eine dem Können und dem musikalischen Ausdrucksvermögen gemäße Musik zu vermitteln. Was Hindemith – in Donaueschingen 1926 – aktualisierte, ist Ausfluß und Verwirklichung jener jugendbewegten Ideen, die unter Berufung auf Johann Gottfried Herder die musikalische Volksbildung aller Lager beschäftigten: Musik als menschenprägende und auf die Dynamik der Gesellschaft (positiv) Einfluß nehmende Kraft. Zugleich artikulierte sich darin jenes Demokratisierungsstreben in den Künsten, das Hans von Bülow schon im Jahr 1858 formuliert hatte; wenn er forderte, daß die „für die Nation geschaffenen Kunstwerke nicht nur einer einzelnen Kaste überlassen" bleiben sollten, nämlich jener Kaste, „der etwa ihre finanziellen Mittel den Genuß derselben erlauben", sondern daß alle Menschen freien Zutritt zu den Konzerten und Museen erhalten müßten, vor allem jener Teil der Nation, „welcher jene Naivität und Ursprünglichkeit bewahrt hat, die allein fähig macht, das Ursprüngliche zu erkennen und zu würdigen"; und zweitens – auf die Blasmusik bezogen – lesen wir bei Bülow: „Das bisher über diesen Gegenstand beobachtete Stillschweigen scheint aus einer Unterschätzung hervorzugehen, welche in Anbetracht seiner Wichtigkeit – z. B. durch seinen Einfluß auf die musikalische Volksbildung – nicht weniger als zu rechtfertigen ist."[129]

Es wurde in dieser Schrift bereits dargestellt, daß Hindemiths Donaueschinger Vorstoß von den mitteleuropäischen Bläserbünden und damit von den einzelnen Blaskapellen nicht beachtet wurde, daß nach 1933 Hindemith in Deutschland zwar zu den nicht genehmen Komponisten zählte, sein die originale Blasmusikkomposition betreffender Anstoß aber in der offiziellen Musikpolitik der Reichsmusikkammer sich wieder fand. Doch erst die Bemühungen des Trossinger Kreises um Guido Waldmann, mit Willy Schneider und Hermann Regner, haben seit 1950 unter veränderten politischen Vorzeichen und gestützt durch das

---

[129] Zitiert nach R. SCHULZ, *Blasmusik: eine Kunst!,* in: Musik im Zeitbewußtsein 2, 1934, Nr. 38, S. 3.

Vorbild der US-amerikanischen High School-, College- und Universitätsblasorchester dem Hindemith'schen Konzept in den mitteleuropäischen Ländern zum Durchbruch verholfen.

Majo trägt diese Entwicklung seit der Mitte der dreißiger Jahre mit. Während des Wehrdienstes in einem Marinemusik-Korps 1936 bis 1938 lernt er die Situation der Militärblasmusik in Deutschland kennen und versucht das von Bearbeitungen geprägte Repertoire durch eigene Kompositionen neu zu gewichten. Anregendes Vorbild dafür sind Hans Felix Husadels einschlägige Werke für Luftwaffenorchester. Doch die Marine hatte damals andere Vorstellungen von Blasmusik als die Luftwaffe. Und so blieben Majos Kompositionen unbeachtet, kein Verlag durfte sich dafür interessieren.

Der Eintritt Majos in ein Musikkorps der Bundeswehr, 1956, bindet Majo endgültig an die Blasmusik. Bis 1962 hat er als Militärmusiker Gelegenheit, alle damals neuen Bemühungen um eine originale Blasorchesterliteratur kennen zu lernen und die nun in rascher Folge entstehenden Bläserkammermusik- und Orchesterwerke zu erproben. Bei seinen „Chefs" und bei Kollegen stößt Majo nicht immer auf Gegenliebe. Daher wechselt er in den Bereich des Amateurmusikwesens über und gründet als freier Mitarbeiter des Süddeutschen Rundfunks zunächst die Stuttgarter Bläservereinigung, mit der er entscheidend zur Geschmacksbildung im Sendegebiet beiträgt. Später, 1967 bis 1976, führt er als Städtischer Musikdirektor in Schramberg das dortige Blasorchester zu hohem Niveau. Es sind dies ungemein fruchtbare Jahre des Schaffens und Erprobens, in denen Majo das Blasmusikgeschehen Mitteleuropas in vieler Hinsicht zu befruchten vermag.

Majos Tonsprache ist primär von dem Wissen um die Möglichkeiten und Grenzen des Amateurblasmusikwesens bestimmt. (1) Möglich sind in diesem Bereich Kompositionen, die den technischen Ausbildungsstand in Rechnung stellen, die jene Gattungen der Musik aufgreifen, die seit etwa eineinhalb Jahrhunderten in diesem Bereich gebraucht und gepflegt werden und die den klanglichen Ausdruckswünschen der Musiker und ihres Publikums entsprechen. (2) Die Grenzen aber liegen dort, wo professionelle Ausbildung und L'art-pour-l'art-Ästhetik intendiert sind. Dabei ist zu beachten, daß Avantgarde-Gestaltungen des 20. Jahrhunderts nicht grundsätzlich ausgeschlossen bleiben, daß aber kein Sprung von der Klangwelt des 19. Jahrhunderts unmittelbar in die Klangwelt eines Stockhausen, Ligeti, Penderecki oder John Cage möglich sein kann. Der Weg der US-amerikanischen Blasorchester von Hindemith und Schönberg zu Messiaen und zu Penderecki führte über zahlreiche Zwischenglieder, die den Hör- und Verstehensprozeß Schritt für Schritt bildeten.

Majos Blasorchesterkompositionen der dreißiger und der frühen vierziger Jahre gingen 1945 verloren. Deshalb fehlen Zeugnisse dafür, wie der junge Folkwang-

California State University, Northridge
Department of Music
presents

CSUN WIND ENSEMBLE

DAVID WHITWELL, Conductor
ERNEST MAJO, Guest Conductor
DAVID MEYER, Solo Timpani

University Student Union

Friday, May 8, 1987   8:00 p.m.

PROGRAM

PARTITA IN C MINOR, K. 384a.......WOLFGANG A. MOZART
Allegro
Andante
Minuetto in Canone
Theme and Variations

YE BANKS AND BRAES O'BONNIE DOON....PERCY GRAINGER

CONCERTINO FOR SOLO TIMPANI
AND WINDS........................DONALD H. WHITE
Allegro
Quasi recitativo, un poco piacere
Allegro energico
              David Meyer, Timpani

EXTRAFONIE (1986).......................ERNEST MAJO
Rigoroso
Aria Chromatica
Theme ala Marcia and Fuga
              WORLD PREMIRE
          The Composer, Conducting

INTERMISSION

SYMPHONY NO. 2.....................DAVID MASLANKA
Moderato
"Deep River"
Allegro molto

Uraufführung der „Extrafonie", MV 12, durch das Wind Ensemble der California
State University, Northridge, am 8. Mai 1987.

Absolvent und Gerster-Erpf-Schüler, der zudem die Kurse Hindemiths an der Folkwang-Schule besucht hatte, sein Unbehagen am Repertoire des Marinemusikkorps, in dem er diente, überwinden wollte. Nur soviel ist bezeugt, daß weder sein Musikmeister noch seine Musikerkollegen Majo unterstützten; ihnen genügte das traditionelle, ritualisierte Repertoire an Bearbeitungen und Märschen vollauf, sie wollten nicht durch „experimentelle" Musik, die zudem in gefährlicher Nähe zur „entarteten" Kunst stand, ihren Erfolg aufs Spiel setzen. Viel später hat Majo durch zwei Kompositionen auf diese Zeit zurückverwiesen: Einmal durch die „Serenade fatale. Eine kleine Schlachtmusik", 1984, womit er die Bläserbearbeitung von Mozarts „Eine kleine Nachtmusik" parodiert – und zwar auf Grund konkreter Vorfälle im Marinemusikkorps zu Ende der dreißiger Jahre. Zweitens durch die „Extrafonie", thematische Reflexionen über das Lied „Lewer Tod as Slav'", 1986; dieses revolutionäre Thema hatte Majo einer Auftragskomposition zugrunde gelegt, die jedoch nicht in das Konzept der Kulturverantwortlichen im Dritten Reich paßte.

Obgleich es sich bei der „Extrafonie" des Jahres 1986 nicht um eine Rekonstruktion des Vorkriegswerkes handelt, sind daran doch die entscheidenden Kompositionsverfahren Majos deutlich zu machen. (Vielleicht sollte man dazu sagen, daß Majos Weg als Blasorchesterkomponist auf vielen Umwegen, der behutsamen Anpassung an das jeweils Mögliche, in den achtziger Jahren zu seinen Ausdrucksidealen der Jugend zurückgeführt hat. Dies legt der Vergleich mit Lied- und Kammermusikwerken nahe.[130])

---

[130] Zu diesem Lied- und Kammermusikschaffen, das in jüngster Zeit die Konzertsäle sich erobert, einige Pressestimmen: Der Bund, Bern, 26. Juni 1982, schreibt zur Aufführung der „Fünf Miniaturen" (MV 191): „prägnant erfundene kleine Stücke, Zeugnisse für Majowskis instrumentale Phantasie und Fähigkeit, Klangregister auszunützen"; H.-G. SEIBT berichtet am 13. Oktober 1986 im Schwarzwälder Boten unter dem Titel *Spannende Begegnung mit zeitgenössischer Musik. Kammerkonzert zum 70. Geburtstag von Ernest Majo. Spontaner Dank aus dem Publikum* aus Schramberg: „Erstmalig findet in diesem Jahr bis hin zum Juni 1987 ein ‚Tonkünstlerfest Baden-Württemberg' unter der Schirmherrschaft der Landesregierung statt. Träger und Organisator der 221 Konzerte mit Werken zeitgenössischer Komponisten aus unserem Bundesland ist der Landesmusikrat Baden-Württemberg. Eines dieser 221 Konzerte wurde nach Schramberg vergeben und war ausschließlich dem kompositorischen Schaffen Ernest Majos gewidmet. – Majos kompositorisches Werk ist bekanntlich in den letzten zehn Jahren auch außerhalb Europas mit stets wachsender Zustimmung aufgenommen worden. In erster Linie ist es der reich bestückte Sektor der bläserischen Musik, der den Namen des nunmehr siebzigjährigen Komponisten in die Welt hinausgetragen hat. – Kammermusik mit nur wenigen solistisch eingesetzten Instrumenten ist seit jeher untrüglicher Prüfstein nicht nur für das reife Können der Ausführenden, sondern vor allem für die Beherrschung des Tonmaterials durch den Komponisten... Die Einordnung der Musik Majos innerhalb des Spektrums des zeitgenössischen kompositorischen Schaffens könnte in Kurzform etwa so aussehen: Der Komponist versucht, am tradierten musikalischen Material soweit festzuhalten, als es nötig ist, um den Hörer nicht zu überfordern. Ihn freilich zu fordern, vergißt Majo in keinem Augenblick des klingenden Ablaufs und nutzt

„Extrafonie" – eine dreisätzige Suite, weist im Untertitel auf die thematische Arbeit hin, die alle konzertanten Werke Majos auszeichnet:

(1) Melodik: Majos Arbeitsweise entzündet sich an vorgegebenen Melodien mit signifikantem Charakter und ausgeprägter Sprachfähigkeit. Ebenso wie Hindemith, der stets Erk-Böhmes dreibändigen „Deutschen Liederhort" bei sich trug, schöpft er aus einer Melodik, die sich in mündlicher Tradition über Generationen hin eingeschliffen hat.

(2) Thematische Arbeit: Es findet eine Entwicklung zum gewählten Thema hin statt, die Melodie wird nicht zu Beginn einer Komposition vorgestellt, sondern sie wächst aus einem Geflecht von Motiven heraus, die dem Thema entnommen, variiert und verfremdet werden. Die „Lewer Tod as Slav'"-Melodie ist vom Quart- plus Quintsprung abwärts geprägt. Majo beginnt den 1. Satz der Suite mit dem Quartsprung abwärts, der als Spannung aufrichtendes Intervall dem Hörer vertraut gemacht wird, um danach sogleich in leiterfremde Töne auszuweichen. Der Grundton erscheint als Melodieträger zwar auf schwerer Zählzeit in Takt 5, doch im Quart-Sextklang mit hinzugefügter Septime.

das Tonmaterial stets mit eleganter und oft genug geistreicher Freizügigkeit. – Seine zwei ‚Impressionen für Flöte und Klavier' eröffneten am Wochenende in der Gymnasiums-Aula die Folge der Vorträge und erwiesen die doppelte Zielrichtung der Musik Majos ... – Die erste der Uraufführungen war eine Chaconne für Flöte solo. Insofern ein echter Majo, als es ja zum Wesen einer Chaconne gehört, daß mindestens zwei Instrumente beschäftigt werden, das eine zur Ausführung des Themas im Baß, das andere zur Illustrierung der Oberstimmen-Variationen. Majo verzichtet auf das Baßinstrument zugunsten der freien Gestaltung der Solostimme. Das Thema ist zunächst nur in Gedanken vorhanden, erklingt aber am Schluß als krönende Apotheose des Ganzen. – Die andere Uraufführung war wohl wirkungsvoller Höhepunkt des Programms: ‚Kinderspiele für Alt-Solo und Flöte'. In diesem zwölf Minuten dauernden, konzentriert gebauten Stück verwendet Majo eine ganze Reihe bekannter Kinderlieder, die er textlich und musikalisch gelegentlich leicht ausweitet und durch eine brillant geführte Flötenstimme zur Einheit höherer Ordnung bindet. – Fünf Lieder für Alt und Klavier entstammen schwerster Zeit nicht nur im Leben des Komponisten, sondern aller Deutschen: dem Jahre 1945. Zum Teil nach eigenen Texten beschwört Majo hier Empfindungen und Bilder in prägnanter Tonsprache, die in ihrer Eindringlichkeit noch heute von unmittelbarer Wirkung sind."

Dem Anstieg der Originalmelodie entspricht ein zunächst in Halbtonschritten, dann der Tonleiter folgender Anstieg in rhythmisch akzentuierten Blockakkorden mit einer Neigung zu bitonalen Effekten:

In Takt 13, mit dem Wechsel der Klangfarbe und dem Ansatz einer lyrischen Stimmung, die das rhythmische Motiv von Takt 5 aufnimmt, flackert kurz der Grundton auf, doch nur als Ansatz einer weiteren Steigerung, die chromatisch modulierend und unter Einsatz einer rhythmischen Polyphonie (= das rhythmische Motiv von T. 5/13 wird in der Oberstimme in den Notenwerten verdoppelt, während die Tenorlage es in der früheren Gestalt fortführt) einen Höhepunkt zustrebt. Erst in T. 32 – mit einer barocken Vorhaltsfloskel – löst sich die Spannung zum B-Dur-Akkord.

Doch es bedarf eines weiteren Anlaufes, einer achttaktigen Steigerung, die aus melodiösen Bewegungen zu jenen rhythmisch-peitschenden Akkordschlägen führt, die der breit und strahlend aufklingenden Melodie „Lewer Tod as Slav'" etwas ungeduldig Drängendes geben.

(3) Rhythmische Dynamik: Aus all dem läßt sich folgern: Majo denkt primär melodisch-linear; wo akkordisch-homophone Gestaltung eintritt, dient sie einer rhythmischen Dynamisierung des Geschehens. Damit wird das Schlaginstrumentarium von seiner „dienenden", tutti-verstärkenden Rolle im konventionellen Blasorchester befreit, um die zeitgemäßen Perkussionsinstrumente bereichert und zu einem eigenständigen Register neben den hohen/tiefen Holz- und (weit-/engmensurierten) Blechblasinstrumenten.

(4) Kontrapunktik: Unmittelbar an die erstmals vollständig gebotene Melodie (T. 41–57) knüpft Majo das Fugato: als Rückbezug auf die Einstimmigkeit, die sich (T. 64) zur Zwei- und (T. 73) zur Dreistimmigkeit verdichtet. Das erste Thema entzündet sich am Quartsprung abwärts. Mit dem Einsatz der 2. Stimme begegnen wir jedoch melodisch neuem Material:

An Stelle von Durchführungen treten bei Majo Fugato-Abschnitte, die das melodische Material nicht allein verarbeiten, sondern es dem Hörer klarer bewußt machen, verdichten und in Engführungen zu klanglichen Höhe- und Ruhepunkten führen. In der „Extrafonie" künden sich unter den klanglichen Ruheflächen jene rhythmischen Impulse an, die eine Reprise vorbereiten:

108

(5) Barocke Spielfiguren und vorbarocke Quintklänge: An dem folgenden Notenbeispiel ist zu zeigen, daß Majo dazu neigt, die Motive und Themen durch Sequenzbildungen fortzuentwickeln und zu weiten Melodiebogen auseinanderzuziehen:

Das ist eine barocke Eigenart – des Spielens mit den Figuren. Man beachte zudem T. (110/112 sowie) 118/121, wie das Lied-Thema und seine Verfremdung (von T. 2/4 und 41 ff.) übereinandergeschichtet werden. Majo freut sich am Gegeneinander-Ausspielen von Motiv- und Themenvarianten.

Besondere Aufmerksamkeit aber erregen die offenen und verdeckten Quintparallelen, die Majo als bläserspezifisch-dramaturgisches Mittel einsetzt.

(6) Stimmführung und Akkordik: Kam im ersten Satz der „Extrafonie" die herbe Strenge barocker Form- und Ausdrucksgestaltung zum Durchbruch, so ist es im zweiten Satz Majos spätromantische, an Reger und Skrjabin geschulte Lust am Ausloten der Grenzen der Diatonie. Die „Aria chromatica" läßt die Formen zerfließen, arbeitet wie ein impressionistischer Maler mit den Klangflächen der unterschiedlichen Register des Blasorchesters. Da gibt es zwar die Es-Dur-Vorzeichnung, aber schon der Beginn mit einem Saxophon-Quartett im Pianissimo verleugnet durch die Erhöhung des „es" zum „e" die Tonart:

Einschnitte ergeben sich dort, wo – wie zu Satzbeginn – der Klang aus einem Ton herauswächst, zum Beispiel:

110

Trotz der Dominanz des Akkordischen, des Spiels mit Klangfarben und tonalen bis bitonalen Effekten, bleibt die Stimmführung in allen Instrumenten linear.

(7) Ästhetik und Semantik: Das Sinnverständnis einer Majo-Komposition ergibt sich jedoch nicht allein aus der Materialanalyse. Es sind außermusikalische Bilder und Visionen, die die musikalische Struktur und die Instrumentation begründen. Majo spricht auch selbst darüber, doch dürfen seine Erklärungen nicht als „Programme" im Sinne der Liszt-Berlioz'schen Programm-Musik verstanden werden. „Eine kleine Schlachtmusik" macht an Mozarts Vorlage die Anmaßung einer autoritär-stümperhaft dargebotenen Bläserbearbeitung deutlich. „Extrafonie" kodiert mit Hilfe einer revolutionären Melodie Emotionen gegen Gewalt und Gewaltherrschaft. Damit werden „Prozesse der Konstitution von Sinn" in der Musik faßbar, die den kommunikativen Wert des Musizierens verdeutlichen.[131] (Man vergleiche dazu parallele Forschungsansätze in der Literaturwissenschaft, wie sie beim Kolloquium in Dubrovnik 1987 diskutiert wurden; Frankfurter Allgemeine Zeitung, 20. Mai 1987, S. 35f.) In den geisteswissenschaftlichen Fächern, voran in der Philosophie, mehren sich Stimmen, die den Wert eines Kunstwerkes „weniger durch den technischen Prozeß der Herstellung bestimmt" sehen wollen, sondern „durch die künstlerische Botschaft, die ästhetische Information, die der Künstler dem Betrachter [Hörer] übermitteln will".[132]

Auch Majos weiterer Versuch, in den Jahren 1956 bis 1962, über das Vorbild Militärmusik die Blasorchesterliteratur zu erneuern, will nicht gelingen. Allem

---

[131] W. Suppan, *Ethnologische und kulturpolitische Anmerkungen zum Musik-Politik-Verhältnis*, in: Geschichte und Gegenwart 2, Graz 1983, S. 100–115; V. Karbusicky, *Grundriß der musikalischen Semantik*, Darmstadt 1986.
[132] H. J. Fischer, *Kunst: Die dritte Dimension des Humanen*, in: Universitas 41, 1986, S. 393. Vgl. auch W. Suppan, *Menschen- und/oder Kulturgüterforschung (?). Über den Beitrag der Musikwissenschaft zur Erforschung menschlicher Verhaltensformen*, in: Hamburger Jahrbuch für Musikwissenschaft 9, 1986 = Karbusicky-Festschrift, S. 37–66.

sogenannten „Militaristischen" gegenüber ängstlich, schwenkten die Bundeswehrkapellen vielfach in die „Musik macht Spaß"-Welle ein, gaben sich locker-„jazzig". Nicht die während der Jahre 1933 bis 1945 verbotene, in der US-Emigration entstandene Blasmusik eines Schönberg, Krenek oder Strawinsky wurde rezipiert, sondern der dem Blasorchester wesensfremde Glen Miller-Sound imitiert. Um dem Trend auszuweichen, sucht Majo über Bläserkammermusikwerke das Interesse einiger Kollegen auf anspruchsvollere Musik zu lenken. So entstanden in den fünfziger Jahren das „Septett" für Flöte, Oboe, 2 Klarinetten, Baß-Klarinette, Fagott und Vibraphon, die „Musik für fünf Bläser" für Trompete, Horn, 2 Posaunen, Baß-Posaune und Pauken, die „Suite per quattro" für 2 Klarinetten, Horn und Fagott, das „Trio für 2 Klarinetten und Fagott" (s. Werkverzeichnis). Erst viele Jahre später kam es zum Druck, zu Aufführungen und zu Schallplatteneinspielungen dieser Bläserkammermusikwerke Majos.

Nach diesen Erfahrungen steigt Majo unmittelbar in die Arbeit „vor Ort" ein, das heißt: er wendet sich dem Amateurblasmusikwesen zu. Am Süddeutschen Rundfunk in Stuttgart gründet er die Stuttgarter Bläservereinigung – und hat damit ein Medium zur Verfügung, das weithin ausstrahlen sollte. Er arbeitet zwar mit einem Ensemble von professionellem Zuschnitt, sucht aber in seinen Kompositionen jene Volkstümlichkeit, die die Amateurmusiker im schwäbisch-alemannischen Raum anspricht und zur Nachahmung verleitet; denn nur so – das erfolgreiche Vorbild wird nachgeahmt – bietet sich eine Chance, Aufmerksamkeit zu erregen und den Geschmack zu bilden. Daß der Amateur der Musikliteratur gegenüber kritisch sein müßte, hatte Hindemith zu Beginn der dreißiger Jahre gefordert. Andererseits sollte aber auch der Komponist sich „in seine neuen Aufgaben erst einleben, das Übermaß an technischem Aufwand, mit dem er zu arbeiten gewohnt ist, muß abgelegt werden" (P. Hindemith).

Majo unterscheidet nach den Gebrauchsmöglichkeiten künftig:

(A) festliche, konzertante Blasmusik – mit dem Trend zum symphonischen Blasorchester,

(B) folkloristisch inspirierte Musik, die im Gefolge des weltweiten Tourismus' zunehmend internationaler wird,

(C) Ouvertüren, Märsche und Tänze nach konventionellen Mustern.

Damit wird abgedeckt, was ein Amateurblasorchester aufgrund der Verankerung im gesellschaftlichen Leben seiner Kommune „braucht". Sowohl der Konzertsaal wie das ländliche Festzelt bedürfen einer situations- und schichtenspezifischen Musik. Johann Heinz Fischer (s. o.) spricht in solchem Zusammenhang von dem „Unvermögen" oder von dem „Unwillen" vieler Künstler, ihre ablehnend-kritische Haltung zur modernen Industriegesellschaft aufzugeben und sich „stärker mit ihren Werken den Erwartungen des Publikums zu öffnen". Vor allem die

Musik hätte sich „in der Sackgasse einer hoffnungslosen Esoterik verloren...
Gestalt, Stil oder Form drohen zu unverständlichen Chiffren zu werden"
(S. 387f.). Dabei sei das Verlangen nach Kunst, nach ästhetischer Gestaltung
seiner Lebenswelt heute größer denn je.[133]

Auf einige weitere Kompositionen Majos (aus der Gruppe A) sei in diesem
Zusammenhang hingewiesen, um zu zeigen, daß und wie er sich dem Problem des
Widerspruchs zwischen den Stilen sowie zwischen einer L'art-pour-l'art-Avant-
garde und den Erwartungen des Publikums stellt, das für die Musik des 20. Jahrhunderts so bezeichnend geworden ist[134]:

Die „Vier Madrigale" und das „Triptychon", letzteres vom Isenheimer Altar
inspiriert, atmen die Ruhe eines Palestrina-Satzes. Das sind in der Tat Beispiele für
künstlerisch anspruchsvolle Musik, die im Bereich der unteren Leistungsstufen
von Amateurblasorchestern liegt und über den pädagogischen Effekt der Ton-
und Gehörbildung hinaus zu einem Wertebewußtsein führen kann. Aus der Stille
heraus wächst das „Erste Bild" des Triptychons:

[133] Dazu D. DE LA MOTTE, (Rezension) *Komponieren heute*, in: Musica 40, 1986, S. 172:
„Nicht einer der nicht mehr ganz Jungen zwischen 34 und 43 Jahren denkt nach über neue
Musik für Kinder, für Jugendliche, für Laien... Was soll denn in der Klavierstunde geübt,
im Schulkonzert den Eltern vorgespielt werden, wenn eine ganze Komponistengeneration
nichts Spielbares schreibt?"; L. LESLE, *Seit wann und zu welchem Ende scheiden sich die
Komponisten in E und U?*, in: Das Orchester 34, 1986, S. 288–293.
[134] Dazu Grundsätzliches von H. FEDERHOFER, *Musikgeschichtsschreibung und Neue
Musik des 20. Jahrhunderts*, in: Mitteilungen der Kommission für Musikforschung. Anzei-
ger der phil.-hist. Klasse der Österreichischen Akademie der Wissenschaften 123/1986,
Wien 1987, Nr. 39, S. 3–19.

Die Klänge verdichten sich und führen im „Zweiten Bild" zu einem weit ausholen-
den Fugato, dem – mit dem „Dritten Bild" – ein machtvoller, toccatenartiger
Schlußteil folgt. – In beiden Stücken: in den „Vier Madrigalen" und im „Triptychon", kann zum Blasorchester die Orgel treten; in dieser Kombination finden
wir das „Triptychon" auf der in Tokio eingespielten Schallplatte (s. Diskographie
unter „Tokio").

Das „Konzert für Oboe/Saxophon und Blasorchester" zeigt Majo in der
Auseinandersetzung mit einer freien Tonalität. Doch reißen den Hörer starke
rhythmisch-motorische Effekte und Perkussionseinlagen nach Art Boris Blachers
sowie eine freie Linienführung so mit, daß er die Verfremdungen gewohnter Dur-
Moll-Klänge kaum wahrnimmt:

Als einen Höhepunkt in seinem Schaffen betrachtet Majo die „Rhapsodischen
Sequenzen über B-A-C-H", zum Bach-Jahr 1985 entstanden. „Rhapsodisch"
bezieht sich dabei auf die formal freie, gleichsam episch-rezitierendes Spiel
ermöglichende Anlage des ersten Teiles der Komposition. Auch Franz Liszt und
Max Reger hatten in ihren B-A-C-H-Werken den Fugen ein „Präludium" oder
eine „Fantasie" vorangestellt. Bereits die Einleitungstakte kennzeichnen Majos
Kompositionstechnik:

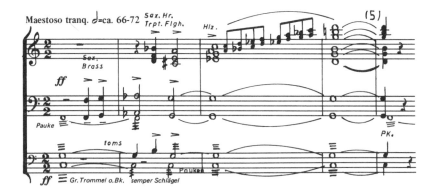

Majo harmonisiert das Thema, verschleiert aber dabei durch den ständigen Wechsel zwischen Dur- und Moll-Dreiklängen, durch die Hinzufügung von Sext, Sept oder None sowie durch Figurationen die tonale Zuordnung. Es entsteht eine Art von Bi- oder Polytonalität, die zum harten Aufeinanderprallen verschiedener Tonarten führen kann (Takte 107 und 108):

Im oberen System lautet die Folge der Moll-Sextakkorde b-a-c-h, im unteren System stehen dem die Dur-Akkorde von Es-D-F-E gegenüber, deren Quint wieder das Thema ergibt. Majo nutzt hier zudem die blechbläserspezifische Wirkung von Dreiklangsfolgen, verschleiert aber durch die Trompeten-Melodie den Eindruck paralleler Quint- und Oktavführungen.

Zwischen diesen Akkordballungen, die zu immer neuen harmonischen Deutungen des Themas führen, kommt das lyrische Element durch polyphone, kammermusikalisch instrumentierte Passagen zu seinem Recht. Rhythmisch variiert, blitzt dazwischen oft und oft das B-A-C-H auf (ich zähle 34 Zitate in der originalen Lage). Wichtigstes melodiebildendes Intervall bleibt der absteigende Halbtonschritt, der – wie schon in der Einleitung – den Themeneinsatz vielfach vorbereitet. So türmen sich diese in die Tiefe weisenden Motive aufsteigend übereinander (Takte 49–52):

Die zahllosen harmonischen und rhythmischen Variationen des Themas machen ein zweites prägnantes Thema überflüssig. Das Material aus den vier so charakteristisch geprägten nebeneinanderliegenden Tönen B-A-C-H reicht aus, um zu einer geglückten Synthese zwischen Diatonik und Chromatik zu gelangen, die nie eintönig wirkt.

Bemerkenswert ist aber auch, daß der Komponist im Fugato, die Vierstimmigkeit von der Tiefe zur Höhe hin aufbauend, das Thema jeweils in der Grundgestalt einsetzen läßt:

Die formale Gliederung fordert nun ein zweites Thema (bei Takt 237), das aber nicht als melodischer Gegensatz anklingt, sondern dessen Themenkopf (h-c-a-h) die Engmelodik des b-a-c-h aufnimmt. Die monumentale Schlußsteigerung, in welcher Dynamik sowohl durch harmonische wie durch lineare Stimmführung

CSUN
SYMPHONIC WIND ENSEMBLE
Gary Pratt, Conductor
Ernest Majo, Guest Conductor

University Student Union
Wednesday, May 9, 1984   8:00 P.M.

PROGRAM

OVERTURE FOR BAND . . . . FELIX MENDELSSOHN

ALBUM LEAF . . . . RICHARD WAGNER

RHAPSODISCHE SEGUENZEN . . . . ERNEST MAJO

Mr. Majo, Conducting

INTERMISSION

APOTHEOSIS OF THIS EARTH . . . . KAREL HUSA

1. Apotheosis
2. Tragedy of Destruction
3. Postscript

SUITE FRANCAISE . . . . DARIUS MILHAUD

1. Normandie
2. Bretagne
3. Ile De France
4. Alsace-Lorraine

Aufführung der „Rhapsodischen Sequenzen" über B-A-C-H, MV 27, im Rahmen eines Konzertes des Symphonic Wind Ensembles der California State University, Northridge, unter der Leitung des Komponisten

erreicht wird, zeigt neuerdings eine gezielte Enharmonik. Die Komposition endet im klangvollen B-Dur.

Die Uraufführung der „Rhapsodischen Sequenzen über B-A-C-H" erfolgte am 9. Mai 1984 in Los Angeles, unter der Leitung des Komponisten spielte das Wind Ensemble der California State University Northridge. Inzwischen liegt auch eine Schallplatteneinspielung vor (s. Diskographie unter „Northridge"). Der Bund Deutscher Blasmusikverbände wählte das Werk im Jahr 1985 als Pflichtstück der Höchstklasse bei Wertungsspielen.

(B) Mit den folkloristischen Stücken verwirklicht Majo die Idee der jugendbewegten Spielmusik wie kaum ein anderer mitteleuropäischer Blasmusikkomponist. Volkslied- und volkstümliche Weisen der Völker erscheinen in barocken Formen, befreit vom harmonischen Ballast der späten Romantik, verpackt – oftmals auch „versteckt" – in einem heiteren Stimmengewebe, dessen rhythmisches Schwingen von den Perkussions-Instrumenten leicht gestützt wird.

Nur selten stellt Majo eine Melodie in vollem Umfang so an den Beginn einer Komposition, wie in der Fantasie à la Chaconne über das irisch-amerikanische Volkslied „Greensleeves":

Der übliche Blasorchesterbeginn mit dem vollen Orchester widerstrebt ihm, und so führt er die „Greensleeves"-Weise durch ein Instrument der Tenorlage solistisch ein. Klarinetten-Figuren beginnen in Takt 15 die Melodie zu verschleiern und zu umspielen. Daraus erwächst die erste Variation, in der unter den Klarinetten-Passagen das Thema in leichten Akkordschlägen erklingt:

Im zweiten Teil der Melodie verdichtet sich der Satz und wir erreichen einen ersten Höhepunkt der Komposition im vollen Orchester-Forte. Doch rasch verfliegt dieser Ausbruch, der Komponist wechselt die Klangfarbe. Die dritte Variation beginnt im Piano eines Blechbläserquartetts:

Eine Fülle von Spielfiguren ergibt sich aus der Melodie, die in einem Überleitungs- und Quasi-Durchführungsteil gegeneinander ausgespielt und übereinander gelagert werden, ehe die vierte Variation im Forte des vollen Blechbläserklanges einsetzt, zu dem sich in der Coda erst die Klarinettenfiguren der Einleitung fügen:

Oft ist es nur der Themenkopf, der Majos Phantasie beflügelt. In den „Grimming-Impressionen" führt das Motiv der steirischen Landeshymne „Hoch vom Dachstein an" zunächst zu Sequenzbildungen und zu Spielfiguren, die der Bewegtheit des Modells entsprechen, ohne konkret dessen Melodieführung zu übernehmen:

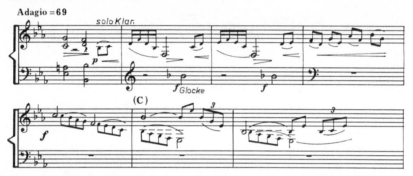

Und unter der klaren Alphorn-Melodik der „Grimming-Impressionen" zieht sich ein die Situation impressionistisch verdunkelndes Klangband dahin:

120

So, wie in der „Mississippi-Melodie", macht Majo gern den Hörer auf das Erklingen der vollen Liedmelodien neugierig. Es sind Andeutungen, Melodiesplitter, die zunächst da oder dort hervorlugen, die als thematisches Material verarbeitet werden, die Spannung aufrichten. Erst gegen Ende der Komposition und als ihr Höhepunkt deckt Majo die Karten auf.

Das mittelalterliche lateinisch-deutsche Mischlied „In dulci jubilo" dient Majo als thematische Grundlage für eine weihnachtliche Festmusik. Fassen wir daran die Gestaltungsmerkmale seiner folkloristischen Spielmusiken zusammen: (1) Ein linearer, kammermusikalisch konzipierter Satz, in dem (2) das Hauptthema in eine Fülle von Spielfiguren aufgesplittert wird, die sich im Verlauf des Stückes in die „richtige" Reihenfolge bringen lassen. (3) Sequenzbildungen sowie melodische, harmonische und rhythmische Variationen bestimmen den Verlauf dieser Metamorphose. Die „Festmusik" beginnt kanonartig, dort wo sich die Melodie zu verfestigen scheint, schwebt sie auf melodischem Rankenwerk gleichsam schwerelos dahin:

Molltrübungen:

Überraschende harmonische Wendungen:

kennzeichnen die Entwicklung zum Höhepunkt hin, an dem das Liedthema in strahlendem Bläsersatz, überlagert von der Nebenstimme eines Solo-Kornetts, erklingt:

Damit sind (4) alle Instrumente und Register eines Blasorchesters in das musikalische Geschehen in gleicher Weise eingebunden. (5) Das immer reicher werdende Schlaginstrumentarium wird sparsam, daher umso wirkungsvoller eingesetzt. Mit den beiden letzten Punkten ist die Instrumentation angesprochen, die als die eigentliche Stärke und die Grundlage der Erfolge Majos bezeichnet werden darf.

(C) Es versteht sich von selbst, daß Majo auch dort, wo er traditionelle Formen und Praktiken aufgreift: in der Komposition von Potpourri- und Fantasie-Ouvertüren, Märschen und Tänzen, die unter A und B genannten Techniken anwendet. Doch bestimmen dabei einerseits die Möglichkeiten und Örtlichkeiten von Aufführungen: das Kur- und Platzkonzert, das ländliche Festzelt, das Geburtstagsständchen, die Trauerfeier, das Spiel während des Marschierens, – andererseits die Erwartungen des Hörerkreises die musikalische Gestaltung. Anpassung hat dabei das pädagogische Ziel, über das Bekannte zu anspruchsvolleren Aussagemöglichkeiten zu gelangen.

Statistiken des Deutschen Musikrates bezeugen, daß das Amateurblasmusikwesen in den deutschsprachigen Ländern derzeit mehr Menschen zum aktiven Musizieren führt als jede andere Art öffentlicher oder privater Musikpflege.[135] Darin liegt die Verantwortung des Blasmusikkomponisten, der danach streben sollte, in seinen Schöpfungen ästhetischen Wert und Gebrauchswert vor dem Hintergrund des jeweils soziologisch Möglichen zur Deckung zu bringen. Ernest Majo ist diesem Ideal vierzig Jahre lang gefolgt – und hat auch dafür gekämpft[136]; in

---

[135] W. SUPPAN, *Amateurmusik*, in: In Sachen Musik, hg. von S. ABEL-STRUTH u. a., Kassel 1977, S. 97–105; ders., *Amateur-Blasmusik in Österreich. Im Verhältnis zur schulischen und außerschulischen Musikerziehung, zur Erwachsenenbildung sowie als kulturpolitischer Faktor*, in: Österreichische Musikzeitschrift 33, 1978, S. 652–660; ders., *Blasorchester-Festschriften*, in: Alta musica 4, 1979, S. 183–219; ders., *Bildungsplan des Bundes Deutscher Blasmusikverbände eV*, Freiburg 1984.
[136] Ein großes Konvolut mit Berichten aus Tages- und Wochenzeitungen bezeugt diesen Kampf. Angesichts der allerjüngsten Entwicklung, die auch von der offiziellen Kulturpolitik teilweise gefördert wird, schwingt allerdings bei Majo bereits Resignation mit. „Die billigen Komponisten machen unsere ganze Arbeit wieder kaputt", schrieb er dem Verfasser in einem Brief am 19. Mai 1985. Anläßlich des 70. Geburtstages veröffentlichte Heinz GALLIST in der Zeitschrift „Neckarquelle" (Kultur in der Region) Nr. 168, 21. November 1986, unter dem Titel *Auf einer Stufe mit der Avantgarde. Lebendige Zeitgeschichte: ein Porträt des ,Blasmusikprofessors' Ernest Majo* ein Interview, in dem es u. a. heißt: „... daß die Blasmusik derzeit auf dem besten Wege sei, diesen Berg wieder hinabzufallen, mangels künstlerischer Substanz. Da wird den Jugendlichen vorgemacht, daß sie ,ihre Musik' auch im Blasorchester spielen dürfen, man bietet ihnen rhythmisch aufgemotzte Beatles-Verschnitte, aus dem Bereich der südamerikanischen Musik und dem Jazz kommende harmonisch-melodisch-rhythmische stil- bis geschmacklose Zusammenstellungen, die mit der von den Jugendlichen gehörten Musik überhaupt nichts zu tun haben, in der Meinung, ihnen damit einen Gefallen zu erweisen: Qualität und Qualitätsbewußtsein erreicht man nur am

dem Wissen darum, daß niemand und nichts dazu verurteilt sein kann, so zu bleiben, wie es ist: daß auch die Blasmusik am Anspruch jeweiliger Musik-Avantgarde gemessen wird. Sein ständiges und erfolgreiches Bemühen um die Aufwertung des Blasmusikwesens und um ihre Integration in das allgemeine Musikleben spiegelt sich in allen o. g. Werken. Man darf daher dem Saarbrücker Musikwissenschaftler Wendelin Müller-Blattau zustimmen, der in einem Gutachten am 17. Juli 1975 schreibt: „Zusammen mit Paul Hindemith, Hermann Grabner und Willy Schneider gehört Ernest Majo zu jener Gruppe handwerklich hervorragend geschulter Meister, die als erste originale Werke für das Blasinstrumenten-Ensemble geschrieben und damit dieser Gattung einen Weg in die Bereiche künstlerisch hochstehender Musik eröffnet haben. Ernest Majo hat konsequent und erfolgreich diese Richtung beibehalten und dem Blasmusikwesen dadurch entscheidende Dienste geleistet."[137]

Original, an der Qualität selbst, also an hochwertiger künstlerischer Arbeit und nicht am Abklatsch. Hier ist ein verhängnisvoller Teufelskreis in Gang gekommen, der natürlich auch von den Musikverlagen in Bewegung gehalten wird. Majo findet in diesem Zusammenhang durchaus deutliche, nicht immer feine Worte. Er hat einen sicheren Qualitätsanspruch, seine Kompositionen halten strengen Jury-Maßstäben stand und es sind inspirierte Schöpfungen eines wachen, intelligenten und musikalisch-witzigen Geistes."
[137] Abgedruckt in: Schwarzwälder Bote, Schramberg, 5. August 1975.

III. ERNEST MAJO: AUTOBIOGRAPHISCHE SKIZZE[138]

Im Jahr, da der Erste Weltkrieg ausbrach, 1914, heiratete meine Mutter: Christine Arimont, geboren in Eupen Malmedy in Belgien, den aus Tarnowitz in Oberschlesien stammenden Witwer mit zwei Kindern, Sylvester Majowski. Der erste Sohn aus dieser Ehe, 1915 geboren, starb bald nach der Geburt. Ich kam am 25. August 1916 in Herne in Westfalen zur Welt, wo mein Vater bei der Reichsbahn seinen Dienst versah.

In Familienbesitz findet sich noch die Urkunde, mit der meine Vorfahren väterlicherseits als Dienstleute der Fürsten von Pless in den Ritterstand erhoben wurden. Solange ich zurückdenken kann, stets war in unserer Familie von Musik die Rede. Mein Vater hatte es bei den kaiserlichen berittenen Truppen zum Korpsführer gebracht – und blies das Tenorhorn „geradeaus". Seine Brüder und Vettern musizierten oder malten. Ein Vetter gehörte als Geiger den Berliner Philharmonikern an; er eröffnete nach dem Ende des Ersten Weltkrieges die Majowski-Bar am Kurfürstendamm, die bald als Treffpunkt der Berliner und der in Berlin wirkenden Künstler Furore machte. Eine Reihe bedeutender Literaten und Kirchenmänner findet sich unter den Vorfahren meiner Mutter. Einer Nebenlinie gehörte der Bischof von Gahlen in Münster an. Einer anderen Nebenlinie (Wissmann) gehörte der mit Goebbels in Heidelberg studierende spätere Präsident der Reichsschrifttumskammer an. Er fiel, nachdem er sich mit Goebbels überworfen hatte, als Oberst in Rußland.

Starke Gegensätze prägten die Ehe meiner Eltern: einmal die slavische Herkunft des Vaters, zum andern die französisch-belgischen Verhaltensformen meiner Mutter. Der Vater nutzte sein musikalisches Talent – als Violoncellist, Bratscher und Geiger – nicht nur in der Hausmusik sondern darüber hinaus in verschiedenen Ensembles. Mit einem Geiger namens Hans Zeßling spielte er regelmäßig in einem Lokal in Recklinghausen. Der Verdienst kam unserer großen Familie – mit sechs Kindern – jedenfalls gelegen. Aus Hans Zeßling wurde später der bekannte Leiter des Unterhaltungsorchesters Hans Busch, der nach Schweden auswanderte und dort einen Musikverlag gründete. Mein ältester (Halb-)Bruder Wilfried Majowski mußte neben der Lehre in einer Maschinenfabrik das Klavierspiel erlernen – und damit ebenfalls dazuverdienen. Er meldete sich freiwillig zum Dienst beim Reiterkorps in Minden, von wo er 1936 zum Musikmeisterlehrgang an die Berliner Musikhochschule kommandiert wurde. Auch mein Vater hatte zu Kaisers Zeiten in Minden den Militärdienst versehen. Bis in sein hohes Alter hinein sprach er bevorzugt davon.

---

[138] Verf. hat in diese Darstellung leicht redigierend eingegriffen, ohne die spontan formulierte und lebendige „Rede" Majos zu zerstören.

Auf mich übte die Mutter jedoch entschieden größeren Einfluß aus. Die überaus fromme Frau nutzte jede Gelegenheit, mich sanft oder unsanft der Kirche nahe zu bringen. Ich durfte keinen Gottesdienst versäumen, wurde früh Meßdiener und blieb es volle dreizehn Jahre lang. Vor allem die Möglichkeit, auf der Orgel spielen zu können, trieb mich immer wieder in die Kirche. Nebenbei begann ich zu malen: Ölbilder der Köpfe der Heiligen in allen Variationen. Das Gymnasium in Wanne-Eickel, wohin mein Vater nach entsprechender Beförderung dienstlich versetzt worden war, behagte mir dagegen wenig, Latein erschien mir sinnlos. So wechselte ich in die Realschule. Doch mein Alltag blieb ausgefüllt mit Musik und Malerei.

Eine weitere Beförderung meines Vaters führte zur Versetzung nach Dorsten in Westfalen. Wir wohnten im Bahnhofsgebäude. Doch mein Zuhause war immer mehr das Franziskanerkloster des Ortes. Zusammen mit drei Freunden: ich erinnere mich an Honne Meinken mit der „Goldstimme", der heute in Wanne-Eickel eine Drogerie betreibt, an den Organisten Hännschen-Knäbel, der aus dem Krieg nicht mehr zurückkehren sollte, und an einen weiteren Jungen, der an der Westfront fallen sollte, umrahmten wir alle kirchlichen Feiern mit Musik. Ich war inzwischen acht Jahre alt geworden – und unter der strengen Aufsicht meines Vaters ein recht guter Geiger. Doch erfüllte mich damals nur ein Wunsch: nämlich Ordenspriester zu werden. Ich las die Legenden der Heiligen und wollte ihnen nacheifern. Dann erschien mir ein Missionarsdasein in Brasilien erstrebenswert. Meine Mutter förderte diese Ideen. Sie ließ einen Altar für mich schnitzen, ich bekam kirchliche Gewänder, um mit meinen Geschwistern die Heilige Messe in unserer Wohnung nachzuahmen.

Wenig Erinnerung habe ich daran, daß der Pächter der Bahnhofsgaststätte in Wanne-Eickel der Vater von H. Rühmann war. Doch erinnere ich mich an die Wahl Hindenburgs zum Reichspräsidenten. Einmal durfte ich Hindenburg auch sehen, als sein Zug langsam durch „unsere" Station fuhr. Noch deutlich sehe ich die Spartakistengruppen mit ihren „grausigen" Instrumenten (Schalmeien) vor mir.

Aus derselben Zeit stammen meine ersten Kompositionsversuche: Ein kleines Oratorium „Ecce homo", das im Kloster auch aufgeführt wurde. Dann Duette für zwei Violinen oder Stücke für Violine, Viola und Violoncello. Mein Vater hielt nichts vom Komponieren, und meine (Halb-)Schwester Sylvia, die Musiklehrerin werden wollte und am Konservatorium in Essen/Ruhr Unterricht erhielt, unterstützte ihn darin. Sie hielt meine Stücke für „Mist", und so blieb mir nur das Kloster, der Raum mit einer kleinen Bühne und mit dem Harmonium darauf, übrig. Das wurde meine Welt. Dort durfte ich komponieren und dort wurden meine „Werke" auch aufgeführt. Bis zu seinem Tod – mein Vater wurde 94 Jahre alt – konnte er nicht verstehen, daß der Sohn komponierte; bei ihm galt nur die Beherrschung des Musikinstrumentes etwas – und dies ließ er mich stets spüren.

Wieviele Geigenbögen er auf meinem Rücken zerschlug, kann man nur erraten. Meine Mutter, der ruhende Pol der Familie, versuchte mich zu schützen.

Innerhalb der Familie gab es Hausmusik, wir spielten zusammen Klaviertrios und Quartette. Doch mir ging es mehr um das Komponieren, und so schrieb ich meine ersten Quartette und Trios, – wiederum gegen heftigen Widerstand der Schwester. Erwähnen möchte ich, daß meine Schwester erst spät ihre Gesangsstimme entdeckte und diese ausbilden ließ. Ihre Lehrerin war Erler-Schnaudt, die berühmte Altistin und Freundin Max Regers. Mit deren Nichte wiederum – der späteren Bayreuth-Sängerin Ruth Schnaudt-Siewert – studierte ich zusammen an der Folkwang-Schule in Essen. Doch darüber später mehr.

Nach einem kurzen Zwischenspiel im Dorstener Gymnasium ermöglichten mir die Eltern 1925/26 den Eintritt in die Klosterschule in Bardel, um mich auf den Priesterberuf vorbereiten zu lassen. Wie meine Eltern dies in der schweren Zeit vor 1930 finanziell zustande brachten, ist mir bis heute nicht klar. Es wurde in der Familie nie darüber gesprochen. Bardel liegt mitten in der Heide, unweit der holländischen Grenze – jedenfalls abseits von jeder „Zivilisation" (wie mir damals schien). Vierzig Zöglinge hatten in einem Schlafsaal zu nächtigen. Es gab eine feste Tagesordnung: 6 Uhr Wecken, 6.30 Uhr Gottesdienst, anschließend Frühstück, dann Unterricht. Nach dem Mittagessen wurden gemeinsam die Aufgaben gemacht. Zwei Stunden Freizeit, schließlich Abendbrot und Kirchgang. Die Freizeit nutzte ich dazu, um in der Heide einen Blumengarten anzulegen. Hier suchte ich Befreiung von den Zwängen und konnte mit meiner Musik meditieren.

Unser Klassenvorstand und Lateinlehrer hatte wenig Zeit und Verständnis für die ihm anvertrauten Schützlinge, – er übte lieber Violoncello (wie mein Vater, mit dem er sich deshalb auch sehr gut verstand, als dieser mich einmal besuchte). Doch alle meine Hoffnungen, daß die Musik einen Kontakt zwischen uns herstellen würde, blieben aus. So schloß ich mich dem weltlichen Priester an, der uns Religionsunterricht gab, und fand unter den Laienbrüdern einen geistesverwandten, das heißt: malenden Freund. Ungewollt entschieden diese beiden Menschen über mein weiteres Schicksal; denn als ich merkte, daß sie sich mir nur deshalb zugewandt hatten, weil sie abartig veranlagt waren, erlitt ich einen Nervenzusammenbruch. Der Arzt in dem benachbarten Städtchen sollte mich kurieren. Doch die Fahrten dorthin führten an der Bahnhofsgaststätte vorbei – und darin hatte es mir bald das dralle Töchterlein angetan. Und so endeten meine Priester-Ambitionen abrupt. Ich begann den Unterricht zu sabotieren, bis man meinen Eltern den Rat gab, mich wieder abzuholen.

Zurück in Dorsten, durfte ich am Gymnasium wieder in meinen Lieblingsfächern Musik und Zeichnen glänzen. Auch in Französisch, Sport und Religion erhielt ich stets gute Zensuren, wogegen Latein und Mathematik mich wenig interessierten. Um in der von meinem Vater dirigierten Dorstener Feuerwehrkapelle mitwirken zu können, erlernte ich in kurzer Zeit das Spiel auf dem Tenorhorn.

Die Studienjahre an der Folkwang-Schule

Nach der mittleren Reife hatte ich nur ein Ziel vor mir: Musik studieren zu können. Die Aufnahmeprüfung an der Folkwang-Schule schaffte ich problemlos. Als Hauptinstrument wählte ich das Fagott, als zweites Instrument die Viola. Klavier gehörte ohnehin zu den Pflichtfächern. Von den Theorielehrern übten Waldemar Woehl und Sehlbach zunächst großen Einfluß auf mich aus. Die Folkwang-Schule in Essen zählte damals zu den modernen und auch international hochangesehenen Musikinstituten Deutschlands. Erstmals in meinem Leben fühlte ich mich richtig wohl und atmete befreit die „Künstlerluft". An der Schauspielabteilung und an der Ballettschule unter Kurt Joos traf ich eine Reihe hochtalentierter jüdischer Mitschüler. In der Kirchenmusikabteilung faszinierte mich Anton Nowakowski, ein Meister auf der Orgel. Doch mein eigentlicher Wunsch war es, bei Ottmar Gerster Komposition und bei Hermann Erpf Instrumentationslehre studieren zu dürfen. So begann ich heimlich deren Lehrveranstaltungen zu besuchen – und hoffte, daß sie es nicht bemerken würden. In dem Leiter der Kapellmeisterklasse, Anton Hardörfer, einem Urbayern, lernte ich einen Menschen voll Wärme, Verständnisbereitschaft und Güte kennen. Unter seiner Leitung spielte ich im Studentenorchester alle große Literatur der Klassik und der Romantik – bis hin zu Strawinsky und Hindemith. Meine kompositorischen Ambitionen sprachen sich herum, für das große Schulorchester schrieb ich fast jede Woche ein neues Werk. Das wurde auch in der Ballettschule bekannt – und so konnte ich mich dort kompositorisch austoben. Von früh bis spät saß ich nun da, spielte und improvisierte die Tanzbegleitungen, und lernte so kennen und abschätzen, wie Musik in die Bewegung hinein wirkt und den Menschen zu beeinflussen vermag.

Wie ein Donner brach die Machtergreifung Hitlers in diese arbeitsintensive Idylle herein. Aus dem Orchesterrepertoire mußten die „entarteten" Komponisten gestrichen werden. Die Entwicklung der Kunst im neuen Reich vollzog sich abseits von der internationalen Szene. Ich erinnere mich noch an meine erste Freundin, eine Jüdin, und ich sehe noch die lodernden Synagogen vor mir. Plötzlich war meine Freundin verschwunden. Da erkannte ich die ganze Verlogenheit dieses Systems. Ich wunderte mich, daß mein verehrter Lehrer Hermann Erpf mit dem Parteiabzeichen herumlief. Doch bald merkte ich, daß dies nur kluge Taktik war, um überhaupt weiter existieren und die Schule fachgerecht führen zu können; denn der Verwalter der Schule, ein alter SA-Mann, wartete nur darauf, Gegner des Regimes anzeigen zu können. Mir entschlüpfte damals manches unbedachte Wort. Von Direktor Erpf vorgeladen, wurde mir klar, daß

Geduld notwendig sei, um dieses Regime zu überleben. Manche meiner Studienkollegen wurden aktive Funktionäre der Hitler-Jugend, etwa Karl Volz, der mit Baumann und Bresgen zusammen die neuen Parteilieder schrieb. Doch ich wandte mich entsetzt ab.

Als Komponist probierte ich alles aus, was nach Richard Wagner irgendwo in Erscheinung trat. Am meisten inspirierte mich aber Strawinsky. Das führte sogar zu Spannungen im Schulorchester. Meine Variationen über das Kinderlied „Hänschen klein" und die unorthodoxe Art, diese für Orchester zu setzen, ermunterten meine Kollegen, mich in jeder Probe mit „Kakophonie", wie sie heute hochmodern wäre, zu empfangen. „Hänschen klein" wurde gleichzeitig in mehreren Tonarten mir an den Kopf geworfen. Das merkte wohl auch Hardörfer, der mich zu einem Gespräch in sein Dienstzimmer bestellte. Ich überlegte schon, was könnte ich wohl falsch gemacht haben. Doch er ermunterte mich, in meinem Weg fortzufahren, und sagte mir zum Abschluß jenen Satz, der bis heute mein Leben bestimmt: „Lieber Freund, ich höre und sehe, wie dich deine Kollegen verunsichern wollen. Du hast enormes Talent. Hüte es und arbeite daran. Wo du auch in der Zukunft kompositorisch oder musikalisch hinsteuerst, du wirst deinen Weg machen. Höre auf deine innere Stimme – und nicht auf die angeblichen Freunde." Das war Hardörfer. Er hat nie die Hand zum „Deutschen Gruß" erhoben.

Hardörfer wußte offensichtlich auch von meinen schriftstellerischen und zeichnerischen Ambitionen. Für meine Opernfragmente, die in der Abteilung für Darstellende Kunst geprobt wurden, hatte ich stets selbst die Libretti formuliert. Auch die Texte zu meinen Liedern machte ich mir selbst. Es war Hardörfer, der mich darauf aufmerksam machte, daß ich auch diese Talente pflegen und mich auch in der musikalischen Komposition „schriftstellerisch" – indem ich in Tönen und Klängen etwas mitteilte – und (klang-)malerisch ausdrücken könnte. Überhaupt waren die Tage, Monate, Jahre an der Folkwang-Schule ausgefüllt mit harter Arbeit von früh bis spät. Ich nutzte jede Gelegenheit nicht nur in den eigenen Fächern sondern überall dabeizusein, überall zu lernen. Als ich gar im Opern- und im Schauspielorchester supplieren durfte – die 10 Mark pro Aufführung hatte ich zudem bitter nötig – da packte mich die Theateratmosphäre endgültig. Das war die Welt, in der ich leben, für die ich schaffen wollte. Während des vierjährigen Studiums hatte ich mich körperlich völlig ausgegeben, so daß Lehrer und Eltern oft sorgenvoll meinen Tatendrang zu hemmen suchten. Nie besuchte ich eine Unterrichtsstunde, ohne mich gewissenhaft darauf vorbereitet zu haben.

In der Kantine der Folkwang-Schule fiel mir ein ruhiger, verschlossen wirkender Typ auf. Er studierte an der Kirchenmusikabteilung, wohl Sohn reicher Eltern, jedoch sparsam, stets gleich gekleidet. Als ich ihn das erstemal an der Orgel erlebte, suchte ich seine Freundschaft. Er eröffnete mir nicht allein die

Klangwelt der Orgel – sondern zugleich die des Blasorchesters (was ist die Orgel anderes als ein verkleinertes, ein starres Blasorchester). Ich erinnere mich nur an seinen Familiennamen, er hieß Burkhard. Zusammen schrieben wir später die Musik zum Deutschen Sportfest 1935 in Breslau, und zwar für ein Blasorchester. Wo diese Komposition hingekommen ist, weiß ich nicht. Ich habe nie mehr etwas davon gehört oder gesehen.

Da ich selbst in einem geradezu rauschhaften Zustand meine Kompositionen hinwarf, konnte ich auch verstehen, wenn mein Lehrer Gerster im Bratschen-Unterricht mir plötzlich nicht mehr zuhörte, zum Klavier rannte und etwas probierte. So erlebte ich manche Geburten seiner Kompositionen. In diesen Jahren, bis 1936, da ich meine Abschlußprüfungen absolvierte, nahm ich auf diese Art Teil an der Entstehung seiner Oper „Enoch Arden", deren Uraufführung in Essen auf mich großen Eindruck machte. Meine Abschlußprüfungen an der Folkwang-Schule verliefen glänzend: ich spielte das Fagott-Konzert Mozarts, die Märchenbilder von Schumann auf der Bratsche – und (weniger glücklich) Bach-Inventionen auf dem Klavier. Damals mochte ich Bach noch gar nicht. Ich mußte schwer darum kämpfen, in sein Schaffen einzudringen. Was hatte ich doch für einen Ehrgeiz, eine Fuge zu schreiben! Es entstand gleichsam eine Haßliebe – die sich bis heute in meinen Kompositionen spiegelt.

Die Studienjahre habe ich in herrlicher Erinnerung. Im Grunde waren es die schönsten Jahre meines Lebens. Dazu zählt auch noch folgende wichtige Begebenheit. Mein Harmonielehre-Professor, Waldemar Woehl, der auch im Bären-reiter-Verlag tätig war, zog sich zurück. Sein Nachfolger wurde Erhard Krieger. Unter dessen Leitung studierten Kollegen mein Klaviertrio ein. Die Aufführung des Stückes beim Jahresschlußkonzert der Schule gestaltete sich zu einem großartigen Erfolg für mich. Ich fragte mich, hatte denn niemand die atonalen Einsprengsel in diesem Stück bemerkt? Diejenigen, die „entartete" Kunst verfolgten, offensichtlich nicht, – und für die anderen ergab sich daraus umso stärkerer Beifall...

Die Wehrdienstjahre

Welche Möglichkeiten boten sich 1936 für den Absolventen einer Musikhochschule? Doch da hatte mein Vater bereits vorgesorgt. Was kam für ihn anderes in Frage, als mich sogleich zum Wehrdienst einer Militärkapelle (der Marine) anzumelden. Es begann die schrecklichste Zeit meines Lebens. Ein halbes Jahr Grundausbildung: so stellte ich mir ein Strafgefangenenlager vor. Heimlich suchten wir Musiker uns Noten beim benachbarten Stabsmusikkorps auszuborgen, das Stabsmusikmeister Flick leitete (der spätere Inspizient der Marine in Berlin). Trotz des anstrengenden Dienstes konnten wir uns so „musizierend" entspannen und auch die Kameraden unterhalten. Doch die Zeit ging vorüber.

Wir durften gut durchtrainiert uns bei den einzelnen Musikkorps zur weiteren Verwendung melden. Ich hatte das Glück, dem Orchester des schon genannten Peter Flick zugeteilt zu werden.

„Papa" Flick, wie wir ihn nannten, war ein ausgezeichneter Geiger, musikalisch und menschlich ein Vorbild für uns alle. Als Fagottist hatte ich bei Marschmusik die Becken zu schlagen. (Eine Qual für mich wegen meiner schwachen Arme.) Aber auch im Konzert- und Unterhaltungsbereich fiel für mich nicht viel an. Am Programm standen in erster Linie Opern- und Operetten-Transkriptionen, Wagner-, Rossini- und Verdi-Ouvertüren, alle Rhapsodien von Franz Liszt, Klassisches ... Wo keine Fagottstimmen ausgeschrieben waren, mußte ich das Bariton verstärken. Bald waren alle hohen Erwartungen, die ich an das Blasorchester geknüpft hatte, zerstoben. Sollte Blasmusik wirklich nichts anderes sein als ein Symphonieorchester-Ersatz, ein Orchester ohne Streicher? Wäre das die gesamte Klangwelt, die ein solches Orchester hervorzuzaubern könnte?

Da begann ich, selbst für Blasorchester zu komponieren. Statt die übliche und üble Geselligkeit zu pflegen, zog ich mich mehr und mehr zurück, um meine Ideen einer originalen Blasmusik zu verwirklichen. Nächtelang schrieb ich Noten und wieder Noten. Doch die Enttäuschung folgte prompt. Meine Kameraden wollten garnichts Neues kennenlernen oder spielen, sie wehrten meinen guten Willen mit geradezu feindlicher Haltung ab. Alle meine damaligen Blasorchester-kompositionen sind dann im Verlauf des Frankreich-Feldzuges zerstört worden.

Ein Stimmungsbild aus der damaligen Zeit: Zur Taufe des großen Schiffes, der „Bismarck", hatten sich Hitler, General von Blomberg und Admiral Raeder angesagt. Wir hatten zum Empfang am Bahnhof Wilhelmshaven mit den besten Uniformen anzutreten. Da zog ein Gewitter auf. Es begann in dem Augenblick zu regnen, da die „Ehrengäste" die Front abschreiten sollten. Von Blomberg, der an Körpergröße lange General, Raeder, der eher kleingeratene, pummelige Admiral, rannten an uns vorbei. Nur Hitler schritt ruhig die Front ab. Ich müßte lügen, wollte ich nicht zugeben, daß der Zauberer Hitler auf mich Eindruck machte. Zumal er nicht, wie seine Begleiter, uns stehen ließ und davonrannte. Das Wasser stand uns in den Stiefeln, wir waren durch und durch naß, als wir endlich abtreten durften.

Im Jahr 1937 wurde ein zweites Marinemusikkorps aufgestellt, mit Obermusikmeister Schumann an der Spitze. Der Schlesier mit dem Spitznamen „Schumansky" interessierte sich für meine Kompositionen und studierte einige davon auch ein. Das ermunterte mich, weiter für Blasorchester zu schreiben. Daß meine Ideen die herkömmliche Vorstellung von Blasmusik sprengten, merkte ich auch durch die Begegnung mit Bruno Doering, der regelmäßig bei unserem Musik-korps aufkreuzte, um da seine neuesten „Nordsee"-Klischees auszuprobieren. Das war nicht das Neue, das mir vorschwebte – sondern nicht mehr und nicht weniger als die Fortsetzung des Standardrepertoires: Also Bearbeitungen oder Stücke im Stil von Bearbeitungen, unterbrochen von Traditions- und lärmenden Fanfarenmärschen. Besonders schlimm empfand ich die Walzerbearbeitungen nach Johann Strauß oder Lanner. Diese elegante Musik wirkte in der Blasorchesterfassung auf mich wie ein überlanger, zu dicker Brei. So verloren wir alle, die ambitioniert sich der Militärblasmusik zugewandt hatten, die Freude am Musizieren. Ich zog mich weiter zurück und arbeitete für mich.

Die Lebensgeister erwachten in mir neu, als ich das erstemal eine Kapelle der Luftwaffe hörte: Felix Husadel hatte die Saxophone eingeführt, – und da vernahm ich nun jenen Klang, der mir schon lange vorgeschwebt hatte. Eine neue Dimension eröffnete sich mir, auch in der Art, wie Husadel komponierte und instrumentierte.

Im Herbst 1937 erfolgte meine Versetzung zum Musikkorps nach Brake an der Weser. Der dortige Chef, Stabsmusikmeister Bartholomäus, zeigte Interesse an meinen Arbeiten und führte viele meiner Kompositionen auch öffentlich auf. Er verschwand schließlich, als er sich weigerte, sich von seiner Frau – einer Jüdin – zu trennen. Zuvor noch hatte er mich für die Musikmeister-Laufbahn vorgeschlagen. Doch ich hatte genug vom Militär und provozierte meine Entlassung wegen „Wehrkraftzersetzung". Ich hatte deswegen vier Wochen strengen Arrest abzusitzen. Am Pfingstsonntag 1938 kam im Verlauf des Hamburger Hafenkonzertes einer meiner Märsche zur Uraufführung. An dem Morgen, pünktlich um 6 Uhr, wurde die Tür meiner Zelle aufgemacht und man brachte mir ein Radio. Selbst der Offizier vom Dienst war anwesend und hörte begeistert mit. Dieser Marsch existiert noch heute. Er wurde 1956 unter dem Titel „Leuchtfeuer" gedruckt. Später erfuhr ich, daß die gesamte Stabskompanie, der ich angehörte, ebenfalls um den „Volksempfänger" sich versammelt hatte, um meinen Marsch zu hören. Je nach Temperament hatten damals viele meiner Kollegen bereits die Situation durchschaut. Meine „feierliche" Entlassung aus der Marine konnte ich bereits in Zivilkleidern (die auf Kosten der Marine angeschafft werden durften) miterleben...

Gera, Ratibor, Hildesheim – und wieder bei der Marinemusik

Wie sollte es nun weitergehen? In Brake konnte ich nicht bleiben. Heim zu den Eltern wollte ich nicht gerne. Als Komponist vermochte man wohl nicht zu überleben. Also blieb nur das Fagott. Ich nahm daher die mir angebotene Stelle im Orchester des Stadttheaters Greiz bei Gera an. Der Orchesterchef und auch das Orchester standen meinen kompositorischen Ambitionen überraschend aufgeschlossen gegenüber. Manches konnte da erprobt werden. Nette Freunde fand ich in einem in meiner Nähe wohnenden Klavierlehrer, für den es eine willkommene Abwechslung war, mit mir neue Werke durchzuspielen. Und dann war da noch ein Wirt, der für die Zither komponierte – aber keine Noten schreiben konnte. Dem brachte ich seine Einfälle zu Papier und erhielt dafür freies Essen. Aber die Verhältnisse waren in diesem Herbst 1938 doch recht eng. So bewarb ich mich um die ausgeschriebene Fagott-Stelle im Orchester von Ratibor. Der dortige Städtische Musikdirektor Giernoth besuchte mich im Frühjahr 1939 in Gera und ließ mich, nachdem ich ihm vorgeblasen hatte, gleich den Vertrag unterzeichnen. Am 1. April 1939 übersiedelte ich dorthin. Das Orchester von Ratibor hatte den Sommer über als Kurorchester in Bad Landeck/Schlesien aufzuspielen. Das Theater- und Musikleben in Ratibor stand auf gutem Niveau, so daß ich hoffte, dort künftig in Ruhe wirken zu können. Zudem kamen meine Orchester-Suiten, Walzer und Märsche aus der Militärdienstzeit gut beim Publikum der Kurkonzerte an. Eine Suite aus dem Schlesierland wies in jene Richtung, die man später „Folklore" nannte.

Doch der Krieg machte sich immer stärker bemerkbar. Schützengräben wurden vor der Stadt ausgehoben. Ein Urlaub zuhause in Dorsten, wo mein Vater nun als Oberinspektor der Reichsbahn auch Vorstand des Bahnhofes geworden war, zeigte mir deutlich, wohin das Regime steuerte. Immer mehr Musiker wurden zum Militär eingezogen, das Orchester schmolz zusammen. Und eines Tages, da der letzte Schlagzeuger das Orchester verlassen hatte, erinnerte sich Giernoth an mein Folkwang-Zeugnis: da stand, daß ich auch Schlagzeug studiert und mit gutem Erfolg absolviert hatte, – und so mußte ich zu Pauken, Trommeln, Becken, Triangeln usf. übersiedeln und mein Fagott in die Ecke stellen. Einen Vorteil hatte dieser Wechsel: ich lernte das „Weglassen". Das heißt: daß man nur das Wesentliche spielen sollte, um den Effekt zu verstärken.

Um doch wieder als Fagottist in einem Orchester tätig sein zu können, bewarb ich mich um die freie Fagott-Stelle in Hildesheim – und erhielt diese auch. Erst auf der Fahrt von Ratibor nach Hildesheim schrieb ich den Kündigungsbrief . . . Am 15. September 1939 begann ich meinen Dienst im Städtischen Orchester Hildesheim, mit einem großen Koffer, gefüllt mit den Manuskripten meiner „Werke". Die Oper in Hildesheim wurde von Braunschweig aus betreut, aber es spielte das Hildesheimer Orchester. Die Symphoniekonzerte leitete Musikdirektor Schade. Die Operette teilten sich zwei Kapellmeister. Wichtig für mich war aber nun, daß man in Hildesheim Bühnen- und Ballettmusiken benötigte, die ich komponieren sollte. Endlich ein offizieller Kompositionsauftrag, der honoriert wurde. Als Dirigent meiner Kompositionen stand ich erstmals am Pult, zwar gegen den Willen der engagierten Kapellmeister, aber mit Unterstützung des Intendanten und der Mitwirkenden. Meine Erfolge veranlaßten sogar die Parteiführer, mir die Leitung eines neu zu gründenden Hitlerjugend-Blasorchesters anzutragen. Das war 1940, kurz vor meiner Abreise nach Bad Harzburg als Kurorchestermusiker.

In diesem Sommer lernte ich meine spätere Frau, Hildegard Knuth, kennen, eine Konzertpianistin, Musiklehrerin und Organistin an der evangelischen Kirche. Sie inspirierte mich zur Komposition eines Klavierkonzertes und mehrerer Klavierstücke. Nach der Uraufführung des Klavierkonzertes in privatem Rahmen äußerte sich die Presse durchaus zustimmend, ohne die in die Zukunft weisende Tonsprache wirklich begreifen zu können. Einige Klavierstücke von mir wurden damals auch gedruckt.

Anfang August erhielt ich den Einberufungsbefehl: ich sollte mich am 10. August zur Marine in Wilhelmshaven melden. Am 8. August heiratete ich mit bescheidenen Mitteln und im engsten Kreis Hildegard Knuth, eine Schwester des später berühmt gewordenen Gustav Knuth. Die Ehe hielt zwei Jahre. Meine Frau eiferte mich durch ihr brillantes Klavierspiel immer wieder zu Kompositionen für dieses Instrument an. Als Mitglied des Musikkorps in Wesermünde erhielt ich vom Stadttheater in Hildesheim den Auftrag, die Musik zu dem Ballett „Spuk im Ratskeller" zu schreiben. Eine Studentengeschichte mit weinseligen Träumen.

Chef des Marinemusikkorps, in dem ich nun wieder „diente", war Musikmeister Indert, einer meiner Mitmusiker der spätere Südwestfunk-Dirigent Emmerich Smola. Neben meiner Marinemusiker-Tätigkeit fand sich für mich bald eine Aushilfsstelle als Fagottist im Städtischen Orchester Wesermünde. Dort lernte ich zwei Menschen kennen, die in meinem weiteren Leben eine wichtige Rolle spielen sollten: Der Schauspieler Georg Saebisch, mit dem zusammen ich die Operette „Mein Herz für Maria" schrieb, und die Harfenistin, die bald meine zweite Frau werden sollte. Wir hatten zusammen einen Sohn, den meine Mutter vier Wochen nach der Geburt aus einer Entbindungsstation in Lübeck abholte. Er wuchs bis zu seinem sechsten Lebensjahr bei meinen Eltern auf.

Zur Uraufführung meines Balletts erhielt ich Sonderurlaub – allerdings mit der Bedingung, in Hildesheim in Uniform zu dirigieren. Es gab zwar die üblichen Pannen, aber schließlich und dank des enormen Engagements aller Mitwirkenden, wurden wir mit Beifall überschüttet. Leider konnte ich nicht alle Wiederholungen dirigieren. Daß diese Aufführung auch anderswo beachtet wurde, zeigte sich, als eine Einladung eintraf, das Ballett am Hoftheater in Halle-Merseburg zu wiederholen. Ich durfte also auch dort dirigieren. Als ich das Pult betrat, sah ich unmittelbar vor mir auf der Bühne die Inschrift: „...hier dirigierte Richard Wagner..." Das war für mich zunächst ein Schock. Doch dann fand ich mich und vermochte Ballett und Musiker zu besonderen Leistungen anzuspornen. Der reiche Beifall belohnte eine außergewöhnliche Leistung. Danach erfuhr ich, daß die Ballettmeisterin, Frl. Krüger, damit ihre Abschiedsvorstellung gegeben hatte, um ein Engagement in Riga anzutreten. Ich sollte mit ihr als Kapellmeister nach Riga, – doch die Reichsmusikkammer lehnte ab. Goebbels selbst schrieb mir, daß in dieser schweren Zeit ein Soldat wichtiger sei als ein Musiker! Damit hat

Goebbels mir – unbewußt – das Leben gerettet. Denn von dem Ensemble in Riga und von meinen Freunden dort hat kaum einer überlebt.

Noch ein Erlebnis aus Wesermünde, weil es so bezeichnend ist für mein Leben: Wir hatten sowohl mit Blas- wie mit Streichorchester zu spielen, zumeist Truppenbetreuung. An einem solchen Konzert stand Mozarts „Die kleine Nachtmusik" auf dem Programm. Doch unser Musikmeister wollte die Streicher verstärken und teilt zusätzliche Bläserstimmen aus. Nach wenigen Takten merkten wir, daß diese Bläserstimmen offensichtlich für eine andere Nachtmusik-Bearbeitung gedacht waren; die Tonart stimmte nicht. Emmerich Smola, als Oboist, hörte ebenso auf wie ich mit dem Fagott. Schließlich blies nur noch der Flötist, ein Obermaat, eifrig mit. Der Musikmeister drohte ihm, endlich war der erste Satz zu Ende. Da machten wir den Obermaat darauf aufmerksam, daß er lieber aufhören sollte. Doch der tat entsetzt: wie konnte ein niederer Dienstgrad ihn am Weiterblasen hindern wollen? Schließlich brach der Chef an geeigneter Stelle die Nachtmusik ab. Bei der Probe am nächsten Morgen stellte der Musikmeister seinen Obermaat zur Rede, warum er falsch geblasen hätte. Da stand ich auf und fragte den Musikmeister, ob er sich denn von der Richtigkeit der Stimmen überzeugt hätte? Er hätte doch bemerken müssen, daß Oboen, Fagotte und Klarinetten längst pausiert hätten. Der Obermaat hätte nur seine Pflicht getan. Mein Gerechtigkeitssinn hatte mir also wieder einmal einen Streich gespielt. Ich mußte zum Kommandeurrapport. Die Angelegenheit wurde untersucht. Ich hätte zwar recht (meinte der verständnisvolle Kommandeur), aber als Soldat hätte ich falsch gehandelt. Ergebnis: Zwei Tage Arrest. (Diese Episode habe ich mehr als vierzig Jahre später in der „Kleinen Schlachtmusik" – MV 29 – verarbeitet.)

Nach dem Erfolg der Ballettaufführungen reifte in mir der Plan für eine Oper: „Die Sünde wider Willen" oder „Der weiße Schleier" sollte das Werk heißen. Es ging um Zölibat, also ein Thema aus meiner Klosterzeit. Die Kriegsereignisse unterbrachen die Arbeit an dieser Oper. Oft zog es mich später wieder zu diesem Stoff und zu einer Oper. Aber was soll dies in einer Zeit, in der Musik im Chaos endet, in der eine Avantgarde die Instrumente zweckentfremdet, in der Musik zu Lärm und Klamauk denaturiert. Für mich ist das ein Weg in eine Sackgasse. Um Geräusch zu produzieren, bedarf es nicht menschlichen Geistes – sondern allein technischer, elektronischer Medien, also lebloser Maschinen. Ich sage dies sehr bewußt, weil ich im Jahr 1932, vor der Machtübernahme Hitlers, mich zu den jungen, vorwärtsdrängenden, nach neuen, bisher ungehörten Klängen suchenden Komponisten zählte. Aber für wen, so erkannte ich später, sollte solche Musik geschaffen werden? Ich glaube fest an den Menschen und an seine Gefühle – und an die Aufgabe der Musik, diese Gefühle zu bereichern, zu lenken. Das ist der einzige Grund, warum ich für Amateure zu schreiben begonnen habe – und mich nach den Grenzen strecke, die diese Amateure mir auferlegen: sowohl im Technischen wie im Gehörmäßigen. Seit zwanzig Jahren arbeite ich an einem Oratorium

The California State University, Northridge

WIND ENSEMBLE

David Whitwell, Conductor
Michael McAllister, Assistant Conductor

University Student Union

Friday, May 3, 1985   8:00 P.M.

PROGRAM

The Continental Harp and Band Report .... Eric Stokes

Brooklyn Bridge
Cindy
No Deposit – No Return
Toccata, "Capt. John Smith, His Tucket"
Watergate Galop
Revolution: American Birth-Wright
The Triumph of Time

Crecencio Gonzales, Bass Trumpet

Poem du Feu .... Ida Gotkovsky

I. Majestuoso
II. Prestissimo

INTERMISSION

Serenade fatale, "Eine kleine Schlachtmusic" .... Ernest Majo

Allegro con moto
Grazioso
Allegretto

World Premiere

Excerpts from the "Manzoni" Requiem .... Giuseppe Verdi

Requiem aeternam dona eis
Dies Irae
Recordare Jesu pie
Tuba Mirum
Ingemisco
Rex Tremendae
Dies Irae
Libera me

Uraufführung der Serenade fatale „Eine kleine Schlachtmusik", MV 29, durch das Wind Ensemble der California State University, Northridge, unter der Leitung von David Whitwell, 3. Mai 1985.

136

„Pax" (seit 1985 „Ewigkeit"; vgl. aber auch „Escalation", MV 212). Aber ich kann dieses Werk nicht zu Ende bringen. Es fehlt der Friede um mich. Oder wird ein solcher Friede erst eintreten, wenn die Menschen mit ihren Superhirnen diese Welt zerstört haben?

Mein Vater war in der Zwischenzeit nach Lazy in Oberschlesien versetzt worden, da er ebenso wie seine Brüder und Vettern die polnische Sprache beherrschte. Die Mutter meines Sohnes hatte ich inzwischen geheiratet. Der Sohn wuchs nun mit der beinahe gleichaltrigen Tochter meiner Schwester auf. Mein Vater, der seine polnischen Landsleute gut behandelte, hörte damals bereits die sog. „Feindsender", um die Entwicklung im Auge zu haben. Dabei überraschte uns meine zweite Frau. Sie drohte mit Anzeige bei der Gestapo. Da erst merkte ich, wen ich geheiratet hatte. Mein Vater brachte mich noch in der selben Nacht mit einer Lokomotive nach Soßnowitz, wo ich einen Zug nach Kattowitz erreichte und von dort in kurzer Zeit weiter nach Bremerhaven-Wesermünde fahren konnte. Ich meldete mich sofort beim Kommandeur, teilte ihm mit, was geschehen sei. Er verstand – und setzte mich wenige Stunden später in Marsch nach Brest in Frankreich. So entging ich der Verfolgung durch die Gestapo.

Brest: Weltuntergangsstimmung, da brauchte sich niemand mehr etwas vorzumachen. Es wurden die U-Boot-Ein- und Ausfahrten bespielt, es gab kaum Proben, doch Musik zu Gelagen jeder Art... Offiziere und Mannschaften begannen das Auslaufen zu verweigern: denn kaum ein Boot kehrte wieder zurück. Dönitz selbst mußte eingreifen. Dann wurde das Musikkorps in Brest aufgelöst, ich erhielt die Versetzung nach Nantes, wo ich meinen Stubenkollegen aus dem Jahr 1936, den Klarinettisten und jetzigen Musikmeister Brüning, wieder traf. Groß war die Überraschung auf beiden Seiten. Im Rahmen einer Truppenbetreuungsreise lernte ich La Rochelle, Rochefort, Bordeaux, Dax und Biarritz kennen. Ich hatte wieder Zeit, um zu komponieren. An der französisch-spanischen Grenze, hier alles dunkel, dort das für uns ungewöhnlich hell erleuchtete Land, entstand meine symphonische Dichtung „Atlantik". Täglich erwarteten wir die Invasion. Das Jahr 1943 ging zu Ende.

Sorgen bereiteten mir meine Noten. Wie konnten sie gerettet werden. Mein Spind quoll über von beschriebenem Notenpapier. Einiges versuchte ich an meine Eltern nach Oberschlesien zu schicken. Auch in Hildesheim lagen Stöße von Partituren. Aber wer dachte schon daran, daß es so schlimm werden würde?

Zum Jahreswechsel 1943/44 sollte ein Streichquartett die deutschen Offiziere in Paris in ein „besseres" Neues Jahr hinüberspielen. Ich hatte meine Bratsche dabei – und so gehörte ich zu den vier Auserwählten. Josef Haydns „Kaiser-Quartett" stand auf dem Programm. Wer immer diesen Gedanken gefaßt haben mag, er hatte nicht nur eine Vorahnung davon, sondern er wußte mit Bestimmtheit, daß damit eine Epoche zu Ende ging. Ich sehe und höre uns heute noch in einem schloßähnlichen Raum musizieren, gefüllt mit den höchsten Offizieren, die zwar ihren Sekt tranken – aber sich durchaus ernst unterhielten. Als das „Kaiser-Quartett" erklang, hätte man eine Stecknadel fallen hören. Ich suchte in dieser unheilvollen Stunde alle meine Gefühle in mein Solo hineinzulegen. Alle waren wir totenblaß, die Tränen rannen uns über die Wangen. Als das Stück zu Ende war, zeigte die Uhr im Saal 0 Uhr 12 Minuten, anno 1944. Es blieb totenstill im Raum, bis der General auf uns zuschritt, sich bedankte und gesenkten Hauptes den Saal verließ. 1944 sollte das Jahr der Entscheidung werden, hörten wir den General noch sagen. Dann schlossen sich die hohen eichernen Türen. Am 1. und 2. Januar verabschiedeten wir uns von Paris und seinen Kulturdenkmälern, der Oper, dem Louvre, Sacre Cœur... Im Trocadero hatten wir – die Musikkorps der einzelnen Waffengattungen – noch 1943 ein großes Konzert gegeben. Peter Flick dirigierte damals die Marine.

Inzwischen tobte im Osten die Abwehrschlacht. Von Tag zu Tag wuchs meine Sorge um die Familie. Tag für Tag überflogen die Flugzeuge unsere Stellungen, prall gefüllt mit Bomben, die die Städte unserer Heimat zerstörten. Kein einziges deutsches Flugzeug stellte sich ihnen in den Weg. Meine Eltern hatten alles für die Flucht vorbereitet. Mein Vater, nun bereits Amtmann, organisierte zwei Eisenbahnwaggons für den Ernstfall, um darin und mit unserer Habe sich nach dem Westen absetzen zu können. Die Russen standen vor Warschau. Trotz Urlaubssperre erhielt ich Sonderurlaub, fuhr mit der Eisenbahn über Berlin, Breslau, Kattowitz nach Lazy. Doch, was konnte ich helfen. Ich suchte die Schwarze Madonna in Tschenstochau auf – konnte sie mir vielleicht helfen? Und war ergriffen von der tiefen Gläubigkeit der Polen dort...

Meine Rückreise zur Truppe konnte nicht mehr gelingen. Ich kam nach Paris, mußte jedoch sehen, so rasch als möglich wieder aus der Stadt zu flüchten. Über Metz und Berlin gelangte ich nach Westerland, um dort Obermusikmeister Brüning als neuen/alten Chef wieder zu treffen. Alle meine Instrumente, meine Noten waren inzwischen verloren gegangen.

Hier auf Sylt zählte jeder nur noch die Tage bis zum unvermeidlichen Ende. An Silvester 1944 erhielten wir den Auftrag, für Offiziere, Soldaten und Stabshelferinnen ein musikalisches Programm zu bieten. Wie hatte sich doch die Szene verändert, seit wir ein Jahr zuvor in Paris musiziert hatten? Und wieder wurde es für mich ein Schicksalsabend. Ich lernte in dieser Nacht meine dritte Frau kennen (von meiner zweiten hatte ich mich inzwischen scheiden lassen). Erst 1947 heirateten wir. Sie stammte aus Schlesien – und kannte daher ebenso wie meine Familie alle Leiden der Flucht.

Im März 1945 wurde unser Musikkorps endgültig aufgelöst. Ich erhielt Befehl, über Wilhelmshaven, Berlin, Dresden, Leipzig nach Gablonz zu fahren. Nun erst bekam ich einen Eindruck davon, wie dieser Wahnsinn enden mußte. Fassungslos erlebte ich in Dresden, wie Berge von Leichen mit dem Flammenwerfer verbrannt wurden. In Gablonz erfuhr ich, daß meine Eltern nach Bleicherode sich abgesetzt hätten. Dort endlich konnte ich Mutter, Vater, meine Geschwister und meinen Sohn wieder finden. Doch mein Marschbefehl lautet zurück nach Wilhelmshaven, und so war das Wiedersehen nur kurz. Auf dem weiteren Irrweg machte ich kurz in Hildesheim Station, um zu sehen, daß auch dort das Theater zerstört, ausgebrannt – und damit meine Kompositionen vernichtet waren. So blieb nichts übrig von meinen Werken: der eine Teil zerstob in Frankreich, der zweite bei meinen Eltern, der dritte in Hildesheim. In Wilhelmshaven fand ich Zuflucht bei der Familie des Obermusikmeisters Brüning. Da erlebten wir gemeinsam den Untergang des „tausendjährigen Reiches". Als Kriegsgefangener wurde ich am 1. August 1945 nach Hannover gebracht und dort entlassen.

Der Neuaufbau: In Hildesheim, bei der Bundeswehr

Die Hoffnung auf ein neues Leben machte uns Mut. In einem Schulsaal in Hildesheim begannen wir, wieder Theater zu spielen, Konzerte zu veranstalten. Eine Reihe guter Sänger und Schauspieler, Dirigenten und Musiker fand sich da ein. Es gab keine Noten. So schrieben wir aus der Erinnerung oder aus Klavierstimmen die Orchesterwerke sowie Opern- und Operetten-Szenen nieder. Es gab ständig Wechsel, vom Intendanten angefangen bis zum letzten Musiker, weil größere Bühnen lockten – oder weil die politische Vergangenheit des einen oder andern zu Auftrittsverboten führte. Paul Lincke besuchte uns sogar: ein kleiner, fülliger Mann, der sich gut gelaunt einen unserer bunten Abende anhörte. Auch die Berliner Philharmoniker unter der Leitung von Sergiu Celibidache gastierten damals in Hildesheim. Das waren nach den kulturlosen Jahren und nach den Wirren der Kriegsjahre ungeheure Erlebnisse. Was mußten wir nicht jetzt alles nachholen!

1947 wechselte ich als Fagottist in das Städtische Orchester nach Oberhausen. Dort spielten wir die drei Intermezzi aus Benjamin Brittens Oper „Peter Grimes". Das war Musik, so voll Dramatik und neuer Klänge, daß wir Fagottisten uns von den Noten frei machten und improvisierten, was uns gerade einfiel. Der Dirigent bemerkte es nicht. Erst als er uns einmal allein blasen ließ, da mußten wir uns gehörig anstrengen, um dem Notenbild gerecht zu werden. Was uns damals revolutionär erschien, ist heute konventionelle Romantik. An Silvester 1947 gab es in Oberhausen Beethovens 9. Symphonie. Alle hatten wir Hunger, litten an der Kälte, trotzdem war die Stimmung enthusiastisch. Der Städtische Musikdirektor Trenkner entwickelte selbst kompositorische Ambitionen, so daß für meine Kompositionen kein Platz blieb. Damals entstanden einige Kammermusikwerke. Es kam die Währungsreform. Das gerade vergrößerte Orchester wurde wieder verkleinert. 1950 gründete ich das Mülheimer Zimmertheater. Ich erinnere mich

139

gut an die Aufführungen von Manfred Hausmanns „Lilofee", wobei ich allabend-
lich mit meiner Bratsche die Musik dazu spielte – ohne Noten, stets etwas anderes,
spontan und vom Publikum angeregt.

Im Jahr 1956 holte mich die Bundeswehr zurück, und zwar in das Musikkorps
nach Stuttgart. Da lernte ich die süddeutsche Blasmusiktradition in ihrer vollen
Breite kennen und schätzen. Und ich sah, wie schwer sich die Amateurorchester
taten, ein Repertoire aufzubauen. Die alten Bearbeitungen konnten nicht mehr
gespielt werden, und an neuen Ausgaben fehlte es. Mein Entschluß stand fest:
künftig meine kompositorische Kraft in den Dienst dieser Amateurbewegung zu
stellen. Es entstand in diesen Jahren eine Reihe von Blasorchesterstücken, die
noch heute zu den Evergreens kleinerer Kapellen zählen: der „Schwabenexpreß",
„Balkanfieber", „Capriccio", die Ouvertüren „Platzkonzert", „Fröhlicher Alltag", die „Serenade in Es", „Fünf Miniaturen für vier Posaunen", die „Schlesische
Rhapsodie", etliche Märsche und Festmusiken, weihnachtliche Turmmusiken,
usf. Mein Bruder, der die Bückeburger Jäger leitete, kam 1956 nach Karlsruhe und
vermittelte die Bekanntschaft mit dem Verleger Georg Bauer. Bauer druckte den
größten Teil der genannten Stücke. Es folgte der Verlag Grosch mit der preisge-
krönten „Ouvertüre scherzando". Helbling verlegte meine „Nordische Fahrt".
Mein Eifer wuchs, es entstand Werk für Werk, darunter „Sur le Pont d'Avignon",
„Das Zaubernetz", „Ferienlaune".

Doch die bald sich einstellenden Erfolge weckten da und dort Neid. Ich bat um
meine Versetzung zur Marine – und übersiedelte 1962 nach Kiel. Dort gründete
ich den ersten Soldatenchor, der im Fernsehen, bei der Kieler Woche, bei
Hamburger Hafenkonzerten Furore machte. Ich begann dafür Texte und Melodien zu schreiben. Beim Preisausschreiben für neue Soldatenlieder gewann ich
sieben der möglichen acht Preise. Die Lieder wurden im neuen Soldatenlieder-
buch gedruckt: „Hievt die Anker Matrosen", „Wir marschieren in den jungen
Morgen" usf. Die Flugzeuge der Seenotstaffel trugen unseren Soldatenchor in alle
Windrichtungen. Mein väterlicher Freund, Kapitän Hartmann, der Widmungs-
träger des Marsches „Leuchtfeuer", war es, der mich schließlich in meinem
Entschluß bestärkte, endgültig der Bundeswehr den Rücken zu kehren. Ich ließ
mich nach Stuttgart bis zur Entlassung rückversetzen.

Endgültig bei der Amateurblasmusik

1962 gründete ich die „Stuttgarter Bläservereinigung": Mit dem Ziel, meine
eigenen Kompositionen in perfekter Interpretation darbieten und als Vorbild den
vielen Amateurorchestern des Landes vorstellen zu können. Karl Weidelehner,
dem Leiter der Abteilung Volksmusik des Süddeutschen Rundfunks in Stuttgart,
verdanke ich entscheidende Förderung in jenen Jahren. An die achtzig Kompositionen habe ich damals mit meinen Stuttgarter Bläsern auf Band gespielt. Mein

Ansehen als Komponist verbreitete sich, mir wurde die Leitung der Stadtkapelle Leonberg übertragen (genauer: ich sollte das Orchester aus dem Nichts neu aufbauen). Ich stellte an mich stets höchste Anforderungen, und ich erwartete daher von den mir anvertrauten Musikern – auch von den Amateuren – volle Hingabe. Da in Leonberg meine Erwartungen nicht erfüllt wurden, wechselte ich nach Bietigheim. Dort stand die 600-Jahr-Feier vor der Tür. Ich stürzte mich in die Arbeit, suchte die Orchester des Ortes zu einem niveauvollen Ensemble zu vereinen und konnte auch den „Sängerkranz" zu außergewöhnlicher Leistung inspirieren. Nicht die Festaufführung selbst, wohl aber eine spätere Rundfunkaufnahme bezeugt, zu welchen musikalischen Sternstunden Amateure fähig sind, wenn sie sinnvoll geführt werden. Doch auch in Bietigheim mußte ich schließlich resignieren.

Im November 1967 übersiedelte ich mit meiner Familie nach Schramberg, um dort die Stelle eines Städtischen Musikdirektors zu übernehmen. Vier Wochen hatte ich Zeit, um mein erstes Weihnachtskonzert dort vorzubereiten, das in der Viertälerstadt als Höhepunkt jedes Vereinsjahres gilt. Es wurde ein guter Erfolg, doch ich wollte mehr. Vom Repertoire her sollte in Schramberg stets das Neueste und Beste erklingen. Alle Neuerscheinungen der Verlage sah ich mir daraufhin an. Als erster spielte ich mit den Schrambergern die „New Baroque Suite" von Ted Huggens (alias Henk van Lijnschooten) im deutschen Raum: heute hört man an allen Orten Huggens... Über die gewissenhafte Ausbildung der Jugend sollte frisches Blut in das Orchester gelangen. Ich lud Jugend-musiziert-Preisträger ein, um mit uns Solo-Konzerte zu spielen. Meine Stärke war es, dem Orchester neue Stücke geradezu auf den Leib zu schneidern, die Instrumentation dem Können der einzelnen Musiker anzupassen, um zu Klangwirkungen zu gelangen, die weit über das im Amateurbereich übliche hinausgingen. Überall dort, wo ich ohne Gängelung arbeiten konnte, wo ich meinen künstlerischen Ambitionen freien Lauf lassen konnte, stellte sich der Erfolg ein. Wo Verwaltung und Funktionäre meinen Spielraum aber einengen zu müssen glaubten, da versandete die Produktivität gleichsam. Und dann zog ich mich zurück in meine Komponierstube, in der es keine Arbeit nach der Uhr, nach „Dienststunden" gibt, sondern nur eine ekstatische Inspiration, die nicht nach der Zeit fragt.

Für kurze Zeit ließ ich mich zum Kreisdirigenten des zuständigen Blasmusikverbandes wählen, organisierte Lehrgänge. Doch auch hier galt, daß ich Bevormundung durch Funktionäre, also Musik-Laien, nicht vertragen konnte und wollte. Wohl aber respektiere ich jeden Amateurmusiker, der ernsthaft sich bemüht. Zwei Dinge stören mich heute besonders: Erstens die Verfremdung und Verstärkung des Blasorchesterklanges durch elektronische Instrumente. Blasmusik ist an sich „laute Musik", bedarf also keiner Verstärkung. Der Blasorchesterklang ist so eigengeprägt und so modulationsfähig, daß er allen Stilen und Vorstellungen gerecht zu werden vermag. Zweitens ist es in den Heimatbeilagen der Tageszeitungen und in den Blasmusikzeitschriften üblich geworden, jede Darbietung eines Amateurorchesters grundsätzlich hochzujubeln. Die Maßstäbe gehen so verloren. Und es fällt dem Dirigenten immer schwerer, seine Musiker zu höheren Leistungen zu motivieren.

In den Schramberger Jahren entstanden einerseits Kompositionen, die das musikalische Niveau und das Hörverhalten der Amateure schulen und verbessern sollten: Symphonische Dichtungen, wie „König Lear" (unter dem Pseudonym Jean Arimont) und „Attila". An die Idee zum „Attila" erinnere ich mich besonders gern: Wir saßen im Attila-Keller in Niederrimsingen im Breisgau zusammen. Otto Fischer wußte packend und anschaulich von Attila und von der Auffindung des Grabes des Hunnenfürsten auf dem Tuniberg zu berichten. Da kam mir der Gedanke, die psychischen Spannungen zwischen dem Krieger und dem Menschen in Attila musikalisch darzustellen. Die Komposition wurde schließlich in Niederrimsingen uraufgeführt: zur Eröffnung des Verbandsmusikfestes Kaiserstuhl-Tuniberg im Jahr 1969. Auch die „Sinfonietta Nr. 1" und das „Triptychon" entstanden damals. Daneben heiter-beschwingte Musik: die „Jugend-Ouvertüre", die Ouvertüre „Happy End", „Fiesta España", die „Rhapsodie Française"; weihnachtliche Festmusiken, Quartette bis Oktette für das „Spiel in kleinen Gruppen". Wenn ich mich frage, wie diese Kompositionen entstanden sind, dann kann ich nur feststellen, daß ich nicht rational vorgehe, daß ich nicht konkret plane. Im Gegenteil: ich fühle mich geleitet, inspiriert – aber von wem?

In Schramberg bestanden damals vier Blasorchester, vier Männerchöre und zwei Frauenchöre. Gemeinsam mit Franz Krisch, der am Gymnasium den Kunstunterricht erteilte, wollte ich diese Vereine in einem Kulturverband zusammenführen, um so die musikalisch-kulturellen Interessen gewichtiger vertreten zu können. Es ging u. a. darum, beim Neubau des Gymnasiums auf eine akustisch einwandfreie Aula zu drängen, die den Vereinen als Konzertsaal dienen sollte. Doch unser ideales Wollen fand wenig Gegenliebe. Leider verstarb Franz Krisch allzu früh. In Würdigung meiner Verdienste erhielt ich das Bundesverdienstkreuz 2. Klasse am Bande. Mein Kollege H. G. Seibt, Kirchenmusikdirektor an der evangelischen Kirche in Schramberg, hielt die Laudatio.

Unter dem Einfluß von Seibt wandte ich mich auch wieder geistlichen Kompositionen zu. Es entstand die Ökumenische Bläsermesse, aber auch manche andere Meditation. Als Seibt in den Ruhestand trat, erklang meine Messe in der Schramberger Kirche, gespielt von den Freiburger Münsterbläsern. Ich hatte dafür eigens einen achtstimmigen Bläsersatz mit Orgelbegleitung komponiert: „Nun danket alle Gott..."

Über die musikalischen Ambitionen meines Vaters sowie über die musikalische Atmosphäre in unserem Elternhaus habe ich eingangs berichtet. Kein Wunder, daß fast alle meine Geschwister Musikberufe ergriffen: Wilfried Majowski (1907–

1983) absolvierte die Musikmeisterausbildung, leitete nach dem Krieg die Bückeburger Jäger und wurde schließlich Dirigent des Norddeutschen Blasorchesters in Bremen. Er stellte den Kontakt zu meinem ersten Verleger, Georg Bauer in Karlsruhe, her und spielte auch immer wieder meine Werke. Seinem Andenken ist der „Majoritäten-Marsch" gewidmet. Meine Schwester Sylvia Majowski-Ziebler (1910–1975) studierte wie ich an der Folkwang-Schule in Essen: zunächst Klavier, später Gesang bei Anna Erler-Schnaudt, der Freundin Max Regers. Als Sängerin begann sie am Theater in Gablonz, später feierte sie Erfolge in Hildesheim und an der Deutschen Oper am Rhein. Heinrich Majowski (* 1923) studierte Violoncello in Essen und an der Musikhochschule in Berlin. Nach dem Ende des Zweiten Weltkrieges, den er als Offizier an der Ostfront erlitt, kam er zunächst ins Leipziger Sinfonieorchester und – 1950 unter Wilhelm Furtwängler – an die Berliner Philharmonie, der er noch heute als Cellist angehört. Er zählt zu den Mitbegründern der „Zwölf philharmonischen Cellisten" des Berliner Orchesters. Meinen beiden jüngeren Schwestern: Maria Majowski-Brejnik und Gerda Majowski-Ziemer (die heute in den USA lebt), war es wegen der beschränkten finanziellen Verhältnisse im Elternhaus nicht möglich, ein Musikstudium zu beginnen.

Ende 1977, sechzigjährig, beendete ich meine aktive Dienstzeit bei der Stadt Schramberg. Ich habe mich damals gefragt, ob mein Bemühen, Amateure für zeitgenössische Blasmusik von Niveau zu begeistern denn gescheitert sei? War Hindemiths und Grabners Idee, das große Potential der Amateurmusiker nicht allein zu lassen, damit gleichsam einen Bildungsauftrag zu erfüllen, ein Fehlschluß? Wollten denn die Amateurblasmusiker überhaupt mehr als Marschmusik, als Bierzeltmusik, als Gaudi – also Banalitäten und Kitsch? Monate-, oft jahrelang neigt man zu dieser Ansicht: Doch dann hört man plötzlich wieder Blasmusik in Vollendung – und man weiß, daß man sein Leben nicht umsonst gelebt hat. Vor allem meine Reisen nach Japan und in die Vereinigten Staaten von Amerika, wo Blasmusik im pädagogischen Konzept der High-Schools und Universitäten einen besonderen Rang einnimmt, weckten in mir die Hoffnung, daß auch die mitteleuropäischen Blasmusikverbände mehr und mehr die Hypothek einer nicht immer ehrenvollen Tradition abschütteln würden – um im kulturellen Konzept der Gegenwart nicht allein quantitativ sondern auch qualitativ bestehen zu können.

Meinem Freundeskreis darf ich auch Fritz Thelen zuzählen. Vom Schicksal nicht immer verwöhnt, aber als Mensch und Musiker stets aufrecht und konsequent, ließ er sich nach dem Ende des Zweiten Weltkrieges in Lindenberg im Allgäu nieder. Zur Feier seines siebzigsten Geburtstages komponierte ich das „Concertino fugato", eine Art Parodie auf die Blasmusikbearbeitungen klassischer Musik, das die Jugendkapelle Sonthofen unter der Leitung von Arthur Engesser in Lindenberg uraufführte. Daraus erwuchs eine weitere Freundschaft: nämlich mit Arthur Engesser und seinem außergewöhnlich leistungsfähigen

Jugendorchester. Für die Sonthofener schrieb ich eine zwölfsätzige Komposition, die „Sonthofener Suite", die dort in feierlichem Rahmen uraufgeführt wurde. Ein Konzert des symphonischen Blasorchesters und des außergewöhnlich attraktiven Bläserensembles Prof. Meister der Hochschule für Musik und darstellende Kunst in Graz führte zu einer anderen Komposition: Weil fachlich ahnungslose Kritiker von Grazer Tageszeitungen sich unter Blasmusik offensichtlich nur Radetzky-Marsch vorstellen konnten – und dies auch so formulierten, schrieb ich „Spektakulum Nr. 1" für 3 Trompeten und „Spektakulum Nr. 2" für symphonisches Blasorchester, worin ich die Themen des Radetzky-Marsches verarbeitete: so konnte ich zeigen, wie man zeitgemäß mit der Tradition umgeht – und worin die Unterschiede zwischen der Komposition von Johann Strauß-Vater und einem Komponisten der Gegenwart liegen. Das „zweite" Spektakulum wurde in Tokio uraufgeführt: von dem japanischen Marine-Orchester und im Beisein des deutschen Botschafters. In Tokio wurde auch mein Konzert für Oboe und Blasorchester erstmals gespielt (in der Originalfassung), während die Fassung für Saxophon und Orchester in Los Angeles, mit dem symphonischen Blasorchester der California State University unter der Leitung von David Whitwell erstmals erklang. Beide Fassungen sind auf Schallplatten zu hören.

Die letztgenannten Kompositionen wurden und werden zwar auch von Amateurblasorchestern aufgeführt. Trotzdem hege ich Zweifel, ob damit nicht die Grenzen der Leistungsfähigkeit, sowohl im instrumentaltechnischen Bereich wie in bezug auf die bildungsmäßigen Voraussetzungen des größten Teiles der mitteleuropäischen Blasmusiker, überschritten worden sind. Wäre dies also das vorläufige Ende einer Entwicklung, die mit Hindemith, Grabner, Willy Schneider, Hermann Regner so hoffnungsvoll begonnen hat? Andererseits kann ich mir aber auch nicht vorstellen, daß allein Bierzeltmusik und konventionelle „Charakterstücke" aus dem vorigen Jahrhundert (bzw. im Stil solcher verstaubter Stücke heute produzierte „Intermezzi", „Ouvertüren", „Selections" usf.) die immer leistungswilliger und musikalisch anspruchsvoller werdende Jugend bei der Blasmusik halten werden. An der Literaturfrage werden sich daher die Geister scheiden, daran wird es liegen, ob das Blasmusikwesen Mitteleuropas seine Chance nutzen – und damit überleben wird. In der Übernahme jazzverwandter und mit elektronischen Musikinstrumenten aufpolierter Popularmusikformen sehe ich keinen zukunftsträchtigen Weg, eher ein Abstellgeleise, eine Fehlentwicklung weg vom charakteristischen Klang und damit vom Sinn des Blasorchesters.

Nicht unschuldig an der eher negativen Entwicklung in Europa ist die Kommerzialisierung der Originalkomposition für das Blasorchester, wie sie in den sechziger und siebziger Jahren eingesetzt hat. Plötzlich wurde ein „Geschäft" daraus – und damit sank das musikalische Niveau. Manche Verleger nutzten in schamloser Weise diesen Trend aus. So stehen wir heute vor der tristen Situation,

PROGRAM OF MUSIC

LT. TETSURO YAMADA Conducting

● March "Huldigungs-Marsch" ··· Richard Wagner

● Symphonic Poem "Tateyama" ·· Toshiro Mayuzumi
Arr. K. Tatsuno

● "Legende Vom Prinzen Eugen" ·· Theodor Berger
Arr. K. Tatsuno

Guest : ERNEST MAJO Conducting

● Spektakulum Nr. 2 ··· Ernest Majo

スペクタクラム No. 2

「ヨハン・シュトラウスのテーマによるシンフォニックスケッチ」

エルネスト・マヨー

「ワルツの父」ヨハン・シュトラウス1世が書いた管弦楽用のマーチ「ラデッキー行進曲」は皆様よくご存知のように，勇壮な中にも明るく軽快でウィーン情緒豊かな曲です。
副題にもあるように，作曲者マヨーはこの「ラデッキー行進曲」のテーマを展開させ，拡大して吹奏楽曲としたもので，作曲者自身の指揮により演奏します。

● Symphonic Poem "Les Preludes" ··· Franz Liszt
Arr. T. C. Brown

Uraufführung des „Spektakulums Nr. 2", MV 32, in Tokio, Ernest Majo dirigiert
das japanische Marine-Musikkorps, 1978.

daß die älteren, noch von hohem Ethos getragenen Komponisten gestorben sind, ohne daß eine junge Generation in Sicht wäre. Verleger sein, bedeutet stets auch Verantwortung tragen und – soweit es die finanziellen Möglichkeiten zulassen – in mäzenatenhafter Gesinnung dem Neuen, dem Experimentellen eine Chance zu eröffnen. Oft kommt mir auch der Gedanke, daß der allgemeine musikalische Substanzverlust in der Blasmusikkomposition damit zusammenhängen könnte, daß die früheren Vorbilder, nämlich die Militärblasorchester, heute keine Vorbilder mehr sind?

Dabei erscheint eben jetzt die Situation (vor allem für Komponisten) günstig. Meine jahrzehntelangen Anstrengungen in der GEMA, die Blasmusik von der tantiemenfreien „Volksmusik" (mündlich tradierte, variable, brauchtumsgebundene Musik", vgl. dazu „Volksmusik – Blasmusik" in: Allgemeine Volksmusik-Zeitung 17, 1967, S. 193f.) zunächst in den Sektor Unterhaltungsmusik und schließlich in den Sektor Ernste Musik (soweit es sich in der Tat um niveauvolle Amateurblasmusikkompositionen handelt) zu bringen, hatten Erfolg. Nun lohnt es sich, qualitätvolle Musik für Amateurblasorchester zu schreiben.

Wenn ich dies alles überdenke, verfolgt mich einerseits Skepsis. Andererseits habe ich in den USA und in Japan gerade im Bereich jugendlicher Amateurblasorchester so überzeugende Beweise eines in die Zukunft weisenden und dabei spezifisch blasmusikalischen Weges gefunden, daß ich nur hoffen kann, daß man auch in Mitteleuropa solche Ideen bald aufnehmen wird. Bezeichnend ist wohl, daß für diese US-amerikanischen Orchester die bedeutendsten Komponisten der Gegenwart komponiert haben: von Respighi, Milhaud, Messiaen, Hindemith, Schönberg, Badings bis zu Penderecki. Wir müssen immer noch die Jahre nachholen, die uns die Nazi-Herrschaft und der Zweite Weltkrieg genommen haben. Von der internationalen kulturellen Entwicklung mehr als ein Jahrzehnt abgekoppelt gewesen zu sein, ist weiterhin unsere Last.

Hoffnung schöpfte ich wieder, als 1959 die Wolfacher Stadtmusik unter der Leitung von Günter Belli eine Schallplatte mit Werken von mir produzierte. Da erhielt ich den Beweis dafür, daß konsequente Arbeit und eine dem Neuen gegenüber aufgeschlossene Haltung auch bei uns möglich sind und zu Ergebnissen führen, die alle Beteiligten tief befriedigen.

Der Komponist bedarf öffentlicher Anerkennung, um weiter schaffen zu können. In den Jahren 1980 bis 1985 erhielten zwei meiner Werke von einer Fachjury des Bundes Deutscher Blasmusikverbände Kompositionspreise (um als Pflichtstücke bei Bundesmusikfesten eingesetzt zu werden): 1980 die „Vaganten-Ouvertüre", 1985 „Celebration", eine Art „Requiem" für einen jungen Musiker und für meine verstorbenen Schramberger Freunde. 1980 entstanden zudem „Variationen und Fugato" über ein Thema von Mozart, eher den leistungsfähigen weil leistungswilligen Amateurblasorchestern der USA und Japans zugedacht –

146

und auch dort eifrig gespielt. Als (vorläufigen) Höhepunkt meines kompositorischen Schaffens aber empfinde ich die Rhapsodischen Sequenzen über B-A-C-H, die der Bund Deutscher Blasmusikverbände im Jahr 1984 als Pflichtstück der Höchstklasse bei seinen Wertungsspielen eingesetzt hatte. Also doch ein versöhnlicher Abschluß? Wenn es Blasmusikverbände und Blasorchester in Mitteleuropa gibt, die solche Werke empfehlen und musizieren! Ich wünschte mir, daß diese Seite in unserem Amateurblasmusikwesen – das zu den wichtigsten Basisleistungen unserer Kultur zählt – künftig stärker bewußt wird.

Zusatz 1987

Dieses Buch sollte als Festschrift zu meinem 70. Geburtstag erscheinen. Verzögerungen in der Manuskripterstellung sowie bei der Drucklegung geben mir nun die Möglichkeit, im August 1987 die folgende Ergänzung zu formulieren.

Gäste aus dem Inland und aus dem Ausland waren gekommen, um mit mir den 70. Geburtstag zu feiern. Einladungen aus dem Ausland erreichten mich. Ende 1986 beendete ich meine Komposition „Extrafonie" und schickte sie an meinen Freund David Whitwell an die California State University nach Los Angeles. Meine Enkelin, mit der ich mich immer mehr beschäftigte, regte mich zur Komposition der Kantate „Kinderspiele" an. Eine zweite Kantate folgte, „Die Ente und der Enterich", eine allzu menschliche Tiergeschichte. Zugleich hatte das Land Baden-Württemberg zu einem Musikjahr aufgerufen, in hunderten von Konzerten sollten die in Baden-Württemberg geborenen oder hier ansässigen Komponisten ihre Werke vorstellen können. So bot sich mir die Chance, sowohl ältere Kammermusik- und Liedwerke (wie die im Nachlaß der Kammersängerin Ruth Schnaud aufgefundenen Jugendlieder) der Öffentlichkeit vorzustellen. Neben den älteren bisher kaum aufgeführten Vokal- und Instrumentalwerken schuf ich eine Reihe von neuen Kompositionen: „Chaconne" für Flöte solo, die Kanzonetta für Flöte und Harfe (Klavier) über eine japanische Volksmelodie, „Trifolium" für Flöte und Harfe. Unter den in der Schublade längere Zeit schon ruhenden Werken fand sich auch eine Suite für 8 Bläser und Orgel, die ich irgendwann für die 12 Cellisten der Berliner Philharmoniker umgearbeitet hatte. Mein Bruder, der diesem Kreis angehörte, wollte diese Suite aufführen. Doch es kam nicht dazu. Da es im Münster zu Rottweil eine hervorragende Orgel gibt und ich den Kantor Siegfried Müller-Murrhard kennenlernte, arbeitete ich diese Suite nun für Orgel um. Es wurde mein größtes Orgelwerk, und es folgten bisher zahlreiche Aufführungen davon.

Inzwischen hatte David Whitwell die „Extrafonie" sich angesehen, er wollte das Werk mit seinem Orchester der California State University zur Uraufführung bringen und er lud mich ein, das Werk dort selbst zu dirigieren. Ich plante nun für

1987 eine Reise in die USA, und wollte damit zugleich einen Besuch in Brasilien verbinden, wohin mich Horst Schwebel längst eingeladen hatte. Prof. Schwebel lernte ich bei einer Tagung der Internationalen Gesellschaft zur Erforschung und Förderung der Blasmusik kennen. Wir freundeten uns an – und ich hatte ihm mehrfach Noten geschickt, die er mit seinem Universitätsblasorchester an der Universität Salvador-Bahia zur Aufführung brachte. Schwebel ist Deutscher, er lebt aber seit 30 Jahren in Brasilien und leitet die Bläserabteilung der Musikhochschule der genannten Universität. Prof. Schwebel hatte die Einladung über das Goethe-Institut geschickt, so daß meine Mission gleichsam offiziellen Charakter erhielt. In den Wochen, da ich die Reise nach Brasilien vorbereitete und in Brasilien selbst weilte, erschütterten schwere wirtschaftliche Depressionen das Land. Ich wollte helfen – und gründete eine Stiftung, die künftig die Arbeit von Prof. Schwebel erleichtern sollte. Als Gastdirigent des Universitätsblasorchesters dirigierte ich mein „Triptychon" sowie das „Konzert für Saxophon und Blasorchester". Der Rektor der Universität verlieh mir ehrenhalber den Titel Professor.

Von Rio de Janeiro flogen wir über Florida nach Los Angeles. Dort hörte ich zum ersten Mal während der Proben meine „Extrafonie". Es war der letzte Arbeitstag vor den Semesterferien. Ich empfand es als einen Höhepunkt meines Lebens, als Gastdirigent neben David Whitwell zu stehen, der zu den großen Dirigentenpersönlichkeiten im Bereich des symphonischen Blasorchesters unserer Zeit zählt. Die Uraufführung wurde ein überwältigender Erfolg. So begeistert kann man wohl nur in den USA sein, nur dort sind „Standing Ovations" in dieser Art möglich.

Von Californien ging es weiter nach Illinois, wo an der University in Bloomington George P. Foeller bereits auf mich wartete. Nach intensiven Arbeits- und Probentagen mit dem Orchester der dortigen High-School folgte ein nicht minder erfolgreiches Konzert. Von George P. Foeller, der eine Art „Landesschulinspektorfunktion" im Staate Illinois ausübt und der großen Einfluß auf die Lehrerausbildung und Lehrerfortbildung nimmt, werden meine Werke immer wieder empfohlen. So kommt es, daß in diesem Staate Illinois mein Name in vielen Programmen erscheint. Vor allem die symphonische Dichtung „König Lear" gehört in den USA zu den „Schlagern". Von George Foeller stammt auch die Idee, eine Schallplatte unter dem Titel „Ernest Majo in den USA" zu produzieren, auf der meine Märsche erklingen sollen.

Auf dem Rückweg nutzte ich die Chance, in Reykjavik auf Island Station zu machen, wo mein Freund und Kollege Hans Ploder wirkt. Auch dort wurde die Idee einer Schallplatte unter dem Titel „Bläserische Weihnachtsmusik" diskutiert.

Im Grunde sollte diese Reise eine Abschiedsreise sein; denn in meinem Alter muß man ans Abschiednehmen denken, und die in diesen letzten Absätzen genannten Menschen zählen zu meinen nächsten und besten Freunden. Von der

Blasmusikkomposition wollte ich mich ganz zurückziehen. Einzig das Oratorium „Ewigkeit" für Orgel, gemischten Chor, zwei Solostimmen und Percussionsinstrumente ist noch in Arbeit. Aber vielleicht greife ich doch noch die Idee von David Whitwell auf, eine Symphonie für Blasorchester zu schreiben. Auch wenn bei der gegenwärtigen tristen Situation in der bundesdeutschen Blasmusikliteratur eine solche Symphonie wohl kaum die Chance hätte, in Mitteleuropa aufgeführt zu werden. Aber irgendjemand muß weiterdrängen, auch in der Blasmusik muß es eine Avantgarde geben. Und als Avantgardist im Bereich der Blasorchesterkomposition habe ich mich stets gefühlt, auch wenn ich „nur" einen Marsch komponiert habe.

ANHANG

THEMATISCHES VERZEICHNIS
SÄMTLICHER KOMPOSITIONEN VON ERNEST MAJO

Verlagsabkürzungen

Adler	= Adler Musikverlag, Heribert Raich, Bad Aussee
Bauer	= Musikverlag Georg Bauer, Karlsruhe
Gabler	= Musikverlag Siegfried Gabler, Karlsruhe
Grosch	= Musikverlag Philipp Grosch, München (heute: Elisabeth Thomi-Berg, München-Gräfelfing)
Halter	= Musikverlag Wilhelm Halter, Karlsruhe
Helbling	= Edition Helbling, Innsbruck
Helbling/Schweiz	= Musikverlag Helbling, Volketswil
Inntal	= Inntal-Musikverlag, Oberaudorf
Milgra	= Edition Milgra, Wädenswil-Zürich
Moritz	= Neuer Karlsruher Musikverlag Friedel Moritz, Karlsruhe
Müller	= Willy Müller, Süddeutscher Musikverlag, Heidelberg
Rundel	= Musikverlag Siegfried Rundel, Rot an der Rot
Schellenberg	= Musikverlag Schellenberg, Trier
Schulz	= Blasmusikverlag Schulz, Freiburg-Tiengen
Voggenreiter	= Voggenreiter-Verlag, Bad Godesberg

A. Festliche Musik für Blasorchester

1. Attila, Symphonische Dichtung, 1969
   Wolfgang Suppan gewidmet
   Schellenberg 1970. - Bauer 1975

2. Ave Maria, nach dem 1. Präludium von Johann Sebastian Bach
   von Charles Gounod, 1970
   Schellenberg 1971. - Bauer 1976

3. Capriccio, 1959
   Für Blasorchester instrumentiert von Gustav Lotterer
   Bauer 1959

4. Capriccioso, 1961, Ms.

5. Celebration Memory, 1979/80
   Vom Bund Deutscher Blasmusikverbände als Stundenchor der
   Höchstklasse zum Bundesmusikfest 1986 preisgekrönt
   Schulz 1986

6. Chaconne, 1977, Ms.

7. Concertino fugato in drei Sätzen, 1975
   Fritz Thelen gewidmet
   Bauer 1976

154

8. Ein Rosenstrauß, Ständchen, 1964

Grosch 1964 (Das Bläserschiff 589)

9. Eine kleine Bauern-Suite in vier Sätzen, 1961, Ms.

10. Eisenerzer Festprolog, 1983

Rundel 1985

11. Erinnerungen eines Poeten, Suite in vier Sätzen,
    1. Frohes Wandern, 2. Der Hampelmann, 3. Märchenwald,
    4. Über Stock und Stein, 1965
    Bauer 1977

12. Extrafonie, Thematische Reflexionen, 1986, Ms.

13. Festliche Bläsermusik, 1970

Bauer 1975

14. Festlicher Auftakt, Prelude miniature, 1958

Bauer 1958, 2. Aufl. 1976

15. Festliches Barock, 1969

Schulz 1973

16. Jubilate, Festliches Vorspiel, 1961, Ms.

17. Grimming - Impressionen, 1975

   Konsul Dr. Manfred Mautner-Markhof, Wien, gewidmet

   Adler 1976

18. Impressionen einer alten Stadt, Suite in drei Sätzen, 1965

   Bauer 1970

19. Intrade, 1967

   Schellenberg 1973. - Bauer 1972

20. Kleines Vorspiel, 1958

Bauer 1958

21. König Lear, Symphonische Dichtung, 1967

Schellenberg 1970. - Bauer 1976

22. Konzert für Oboe (Saxophon) und Blasorchester, 1977

Bauer 1979

23. Largo con molto espressivo, 1955

Bauer 1955

24. Maestoso, 1967

Schellenberg 1973. - Bauer 1972

Petite Symphonique, s. Sinfonietta Nr. 1

25. Präludium, 1967

Schulz 1970

Prelude miniature, s. Festlicher Auftakt

26. Prologo Sinfonico, 1974

Bauer 1980

27. Rhapsodische Sequenzen über B - A - C - H , 1983

David Whitwell gewidmet

Rundel 1985

28. Rhythmisches Intermezzo, 1965

Schellenberg 1967. - Bauer 1977

29. Serenade fatale. Eine kleine Schlachtmusik, 1984, Ms.

1. SATZ

2. SATZ

3. SATZ

30. Sinfonietta Nr. 1 (Petite Symphonique), 1970
    Schellenberg 1972. - Bauer 1975

31. Sonthofen-Suite (Alpenimpressionen) in zwölf Sätzen, 1978-1986
    Rundel 1987

32. Spektakulum Nr. 2, Sinfonische Sequenzen über Themen des
    Radetzky-Marsches von Johann Strauß-Vater, 1977
    Bauer 1979

33. Suite Classique, 1975/76, Ms. (später umgearbeitet zur Orgel-
Suite, MV 221)

1. PRAELUDIUM

2. MELODIA OSTINATA

3. LARGO

4. FUGA

34. Toccata prima, 1974

Bauer 1975

35. Toccata secunda, 1963

Schellenberg 1967. - Schulz 1980

36. Toccatina, 1966

Bauer 1981

37. Triptychon, In drei Bildern, (1965) 1976

Bauer 1977

1. BILD

2. BILD (Fugato)

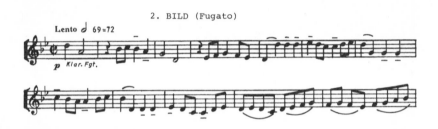

3. BILD

38. Variationen und Fuge über ein Thema von Wolfgang Amadeus Mozart, 1975

Bauer 1980

39. Vier Madrigale, 1961

Halter 1962

40. Vorspruch (Prolog), 1962

Grosch 1962 (Das Bläserschiff 560)

41. Zwei melodische Stücke. Nr. 1: Adagio (Der Morgen),
    Nr. 2: Andante (Der Abend), 1965
    Grosch 1965 (Das Bläserschiff 613)

B. Folkloristische Musik für Blasorchester

42. Alpenländische Weihnacht, 1985

    Rundel 1985

43. Balkanfieber, Rhapsodie, 1958

    Bauer 1959

44. Bergweihnacht, 1966

Bauer 1966

45. Cachuta, Rhapsodie über ein spanisches Thema, 1965, Ms.

46. Cowboy-Spiele, Konzertstück, 1971

Rundel 1972

47. Der kleine Tambour, Spielmusik, 1969

Schellenberg 1970. - Rundel 1975

48. Ein Ferientag, Suite in vier Sätzen, 1971, Ms.

49. Erinnerungen an Island, 1982

Schulz 1984

50. Erste Deutsche Rhapsodie, mit gemischtem Chor ad lib., 1964

Gabler 1968

51. Geburtstags-Serenade, 1971
    Ps. Jean Arimont
    Bauer 1977

52. Greensleeves, Fantasie a la Chaconne über ein
    irisch-amerikanisches Volkslied, 1968
    Schellenberg 1970. - Bauer 1977

53. Hava nagila, Fantasie über das bekannte
    israelische Volkslied, 1970
    Schellenberg 1972. - Bauer 1976

54. Hungaria, Fantasie, 1983

    Rundel 1985

55. In dulci jubilo, Fantasie (Weihachtliche Festmusik), 1970
    Schellenberg 1972. - Bauer 1975

56. Kalinka, Kleine Rhapsodie über das russische Volkslied, 1967

Schellenberg 1967. - Bauer 1977

57. Loch Lomond, Spielmusik über das schottische
Volkslied, 1970, Ms.

58. Londonderry Air, Fantasie über das alt-irische Lied
"Farewell to Cucullain", 1967
Schellenberg 1968. - Bauer 1976

59. Madjarische Rhapsodie, 1965, Ms.

60. Masurische Impressionen, 1960
    Bauer 1987

61. Menü a la Carte, Suite in vier Sätzen, 1967
    Gabler 1972 (1. und 2. Satz). - Schellenberg 1973
    (3. und 4. Satz). - 2. Aufl. Bauer 1977

62. Mexicano Brasiliano capriccioso, 1972

    Schellenberg 1973. - Bauer 1976

63. Mississippi - Melodie, Fantasie über das amerikanische
    Volkslied "Swanee River", 1967
    Schellenberg 1967. - Bauer 1972

64. Moldavia, Slawische Fantasie, 1969, Ms.

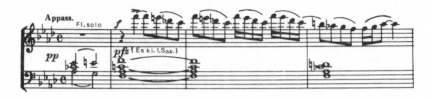

65. Musik der Welt, Suite in drei Sätzen, 1975

Bauer 1980

66. Novellette, 1971, Ms.

67. Pariser Romanze, Intermezzo, 1964

Gabler 1964

68. Prinz Eugen, Spielmusik über das bekannte Volkslied, 1969

Schellenberg 1970. - Bauer 1977

69. Puszta - Legende, 1960

Rundel 1985

70. Rhapsodie Française, 1972

Bauer 1976

71. Russlandia, Sinfonische Skizze, 1968

Schulz 1971

72. Schlesische Rhapsodie, 1958

Bauer 1960

73. Schottische Rhapsodie, 1970, Ms.

74. Schwedische Rhapsodie, 1969, Ms.

75. Serenade for Elizabeth, 1983/84, bearbeitet von
George P. Foeller, 1986, Ms.

76. Serenade in F-Dur, 1956

Bauer 1959

77. Serenade sentimentales, 1956

Bauer 1966

78. Serenata Napolitana, 1963

Schellenberg 1967. - Bauer 1976

79. Slawische Bagatellen, 1979, Ms.

80. Slawonische Rhapsodie, 1965

Bauer 1979

81. Sofioter Nächte, Musikalische Szenen, 1978

Bauer 1986

82. Spielmusiken über Volkslieder (1. Hab mein Wagen voll geladen,
    2. Schneidri, Schneidra, Schneidrum!, 3. Heissa Kathreinerle,
    4. Es freit ein wilder Wassermann, 5. Was kommt dort von der
    Höhe, 6. Ich bin ein freier Wildbretschütz, 7. An der Saale
    hellem Strande, 8. Puttheneke, 9. Ade, du liebes Städtchen,
    10. Ich geh durch einen grasgrünen Wald), 1985

Bauer 1986

83. Spiritual-Fantasie Nr. 1 (Nowbody knows, soon all will
    be done), 1975

Bauer 1976

84. Straßenpfeifer - Serenade, 1963

Helbling 1964

85. Sur le Pont d'Avignon. Rhapsodische Fantasie, 1960

Bauer 1960

86. Volksmärchen, in vier Teilen, 1973, Ms.

87. Weihnachtliche Sinfonia, 1981

Rundel 1981

177

88. Zwei nordische Impressionen. 1. Lied der Wermeländer,
2. Swedish Melody, 1968, Ms.

C. Ouvertüren für Blasorchester

89. Adriatische Nächte, Ouvertüre, 1959

Bauer 1960

90. Da capo, Ouvertüre, 1961

Halter 1961

91. Dandy. Moderne Ouvertüre, 1968
   Ps. E. Sloma
   Rundel 1970

92. Das Zaubernetz, Ein modernes Märchen, Ouvertüre, 1957
   Bauer 1959

93. Die Reise nach Jütland, Rhapsodische Ouvertüre, 1961
   Halter 1962

94. Ferienzeit, Ouvertüre, 1958
   Bauer 1960

179

95. Fiesta Espana (Volksfest in Spanien), Ouvertüre, 1967
    Ps. Jean Arimont
    Schellenberg 1968. - Bauer 1976

96. Fröhliche Weinfahrt (Feste des Bacchus), Ouvertüre, 1966

    Schellenberg 1967

97. Fröhlicher Alltag, Ouvertüre, instrumentiert von
    Gustav Lotterer, 1957
    Bauer 1960

98. Fröhliches Leben, Ouvertüre, 1976, Ms.

99. Glückliche Zeit (Happy Time), Ouvertüre, 1977
   Ps. E. Sloma
   Bauer 1981

100. Happy End, Ouvertüre, 1960

   Schellenberg 1967. - Bauer 1975

101. Happy End in Gloryland, 1969

   Inntal 1970

102. Happy old Germany, Ouvertüre, 1962

103. Hyde Park-Promenade, Ouvertüre, 1967

Schellenberg 1967. - Bauer 1976

104. Jagd-Ouvertüre, 1963, Ms.

105. Jugend-Ouvertüre, 1967
Ps. Jean Arimont
Schellenberg 1969. - Bauer 1976

106. Kinderland, Ouvertüre, 1961

Grosch 1962 (Das Bläserschiff 573)

107. Nordische Fahrt, Ouvertüre, 1964

Helbling 1966

108. Ouvertüre fugato, 1970, Ms.

109. Ouvertüre pomposo, 1973, Ms.

110. Ouvertüre scherzando, 1961

1. Preis beim Kompositionswettbewerb des Deutschen Volks-
musikerbundes

Grosch 1962 (Das Bläserschiff 561)

111. Pik As, Ouvertüre, 1961

Helbling 1962

112. Platzkonzert, Ouvertüre, 1956

Bauer 1959

113. Rheinische Ouvertüre, 1961

Halter 1962

114. The little Joe, Ouvertüre, 1969

Schulz 1971

115. Vaganten - Ouvertüre, 1963

   Preis der Mittelstufe beim Kompositionswettbewerb des
   Bundes Deutscher Blasmusikverbände 1981
   Moritz 1981

116. Vita vitalis, Ouvertüre, 1962

   Helbling 1963

117. Viva la musica, Ouvertüre, 1975, Ms.

118. Zirkuspremiere, Ouvertüre, 1974

   Bauer 1975

D. Märsche für Blasorchester

119. Admiral Ryohei Oga Marsch, 1979

Bauer 1979

120. Albbrucker Marsch, 1982

Bauer 1985

121. Bandmaster-Marsch, 1978

Bauer 1978

122. Bless Island, Marsch, 1980

Schulz 1986

186

123. Burlesker Marsch, 1962

Helbling 1964

124. Dixie Girl, Marsch, 1970, Ms.

125. Eviva Elvira, Marsch, 1964

Schellenberg 1967

126. Ewald Merkle-Marsch / George P. Foeller-Marsch, 1983, Ms.

127. Folklore - Marsch, 1967

Gabler 1969

George P. Foeller-Marsch, s. Ewald Merkle-Marsch

128. Gipfelstürmer-Marsch, 1978

Bauer 1978

129. Gustl-Birkenmeier-Marsch, 1973

Schulz 1973

130. Huldigungsmarsch, 1959

Bauer 1959

188

131. Kosaken-Marsch, 1960

Milgra 1961

132. Le Cascadeur, Marsch, 1973

Schulz 1973

133. Leuchtfeuer, Marsch, 1939

Bauer 1959

134. Little Boys, Marsch-Fox, 1970

Schellenberg 1972. - Bauer 1975

135. Majoritäten-Marsch. Im Gedenken an Wilfried Majowski,
1980, Ms.

136. Manhattan-Marsch, 1967

Schellenberg 1972. - Bauer 1976

137. March of Westminster, 1973

Bauer 1976

138. Marcia piccola, 1963, Ms.

139. Marină-Marsch, 1968, Ms.

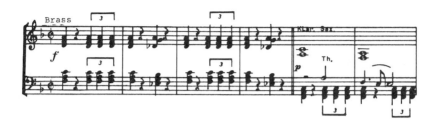

140. Marsch miniature, 1963, Ms.

141. Neue Zeit, Marsch, 1962, Ms.

142. Präsidenten-Marsch, 1980

Bauer 1980

143. Promenaden-Marsch, 1964, Ms.

144. Reiterpatrouille, Marsch-Intermezzo, 1958, Ms.

145. Salute nostram, Marsch 1957

Bauer 1958

146. Schwarzwälder Marsch, 1970, Ms.

147. Servus Pürgg, Marsch, 1980

Bauer 1980

148. Shake Hands to Berlin, Marsch, 1975, Ms.

149. Souvenir of Chicago, Marsch, 1957

Bauer 1957

150. Texas Rangers, Marsch, 1961

Helbling 1962

151. Unitas Europae, Marsch, 1959

Bauer 1959

152. Viva Westfalica, 1964, Ms.

193

153. Wappen aus Eisen und Erz, Marsch, 1985, Ms.

E. Tänze, heitere Musik für Blasorchester

154. Balkanexpreß, 1962

    Halter 1962

155. Behüt' dich Gott. Trompeten-Solo, von Viktor E. Neßler,
    für Blasorchester instrumentiert von E. Majo, 1966

    Gabler 1967

156. Bodensee-Walzer, für gemischten Chor und Blasorchester,
    1964, Ms.

157. Burleske, 1979, Ms.

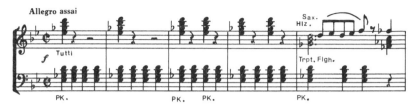

158. Capricciöses Intermezzo, 1966, Ms.

159. Choral und Blues, 1959

Bauer 1960

160. Cocktail Party, 1964, Ms.

161. Der letzte Walzer, 1966, Ms.

162. Dolce Serenata, 1974, Ms.

163. Frühling im Schwarzwald, 1968, Ms.

164. Hafenmelodien, 1964

Gabler 1967

165. Holiday for Trumpets, für drei Trompeten, 1975, Ms.

166. Intermezzo a la marcia, 1962

Helbling 1962

167. Kameraden Dixie, 1974

Bauer 1975

168. Kuckucks-Polka, Solo für Trompete, 1959

Bauer 1959

169. Lebensfreuden-Walzer, 1969, Ms.

170. Liebeslied, Intermezzo, 1968, Ms.

171. Polkaneska, für vier Trompeten, 1958

Bauer 1958

172. Pony-Ballade, Intermezzo, 1961

Gabler 1961

173. Schwaben-Expreß, 1958

Bauer 1958; 2. Fassung 1985

174. Schwäbische Geschichten, Walzer, 1967

Bauer 1967

175. Schwarze Tannen, Walzer, 1970

Schellenberg 1973. - Schulz 1974

176. Schwarzwälder Hochzeit, Intermezzo, 1972

Schulz 1972

177. Schwarzwaldmelodie, Idylle, 1970

Schulz 1974

178. Song of Prärie, für Männerchor ad lib. und
Blasorchester, 1965, Ms.

179. Spätlese, Walzer, 1963, Ms.

180. Trompeters Serenade, Solo für Trompete, 1967

Bauer 1981

181. Türkis, Solo für Trompete und Blasorchester, 1969

Schellenberg 1972. - Bauer 1979

182. Urlaub nach Noten, Potpourri der guten Laune, 1961

Halter 1961

183. Urlaubsgrüße, Fox-Intermezzo, 1970

Schulz 1974

184. Walzer-Impressionen, 1970, Ms.

185. Western-Expreß, Charakterstück, 1960

Milgra 1962

186. Wiener Souvenirs, Walzer, 1971, Ms.

Folgende Blasorchesterwerke wurden ausgeschieden:

Altbekannte Weisen. Stimmung im Festzelt, Potpourri, 1967. - Gedruckt bei Gabler 1969.

Evergreen-Parade, 1966. - Ebda. 1966.

Hymnus in Es, Ps. Ernst Sloma. - Schellenberg 1969.

F. Bläserkammermusik, Spiel in kleinen Gruppen

187. Chaconne für Flöte solo, 1986, Ms.

188. Christmas in the World, Spielmusiken über Weihnachts-
lieder, 1980

Fassung a: für 4 Posaunen
Fassung b: für 2 Tenorhörner, Bariton und Tuba
Fassung c: für 3 Tenorsaxophone und Baritonsaxophon

Schulz 1980

189. Ein Wintermärchen, Suite in drei Sätzen für Solo-Flöte
und Streicher, 1972, Ms.

190. Expressionen für drei Tompeten, 1977

Bauer 1980

203

191. Fünf Miniaturen für 4 Posaunen (1. Groteske, 2. Kleiner
     Tanz, 3. Arietta, 4. Fugato und Choral, 5. Lustiger
     Marsch), 1958

     Bauer 1958

192. Impressionen für Flöte und Orgel, 1984

     Müller 1986

193. Kanzonette über ein japanisches Volkslied für
     Flöte und Klavier, 1986, Ms.

194. Kinderspiele, Kantate für Flöte und Alt-Stimme, 1986
     Müller 1987

195. Konzert für Flöte, Klarinette, Percussion, 1987, Ms.

196. Meditation über "O Haupt voll Blut und Wunden", Präludium
und Fugato. Aria, für Blechbläser-Ensemble, 1975

Bauer 1975 (Musik für Bläser 2)

197. Melodien aus aller Welt, vierstimmige Sätze für unterschiedliche Holz- oder Blechbläsergruppen, 1975/76

Bauer 1975 (Musik für Bläser 3)

198. Musik für fünf Bläser (Trompete, Horn, 2 Posaunen, Tuba)
und vier Pauken, 1958, Ms.

199. Ökumenische Messe in 6 Sätzen, für Blechbläserensemble, 1978

Bauer 1978 (Musik für Bläser 6)

200. Petite Suite pour trois Trompettes in sechs Sätzen, 1966/67

    Bauer 1977 (Musik für Bläser 5)

201. Präludium über B-A-C-H, 1982
        Fassung a: für 2 Tenorhörner, Bariton, Tuba
        Fassung b: für 4 Posaunen
        Fassung c: für 2 Trompeten, Posaune, Tuba
        Müller 1987

202. Septett für Flöte, Oboe, 2 Klarinetten, Baß-Klarinette,
        Fagott und Glockenspiel/Vibraphon, 1957/58, Ms.

203. Spektakulum Nr. 1, für drei Trompeten (Klarinetten, Hörner),
1978

Bauer 1980 (Musik für Bläser 9)

204. Suite per quattro, für 2 Klarinetten, Waldhorn und
Fagott, 1958

Schulz 1976 (Musik aus der Steiermark 80)

205. Trifolium für Harfe und Flöte, 1986, Ms.

1. Marsch grotesk

2. Largo chromatica

3. Finale classique

206. Trio für 2 Klarinetten und Fagott, 1956

Schulz 1976 (Musik aus der Steiermark 80)

207. Vier Sonatinen für 2 Trompeten und 2 Posaunen (oder 2 Flügelhörner, Tenorhorn und Bariton) von Johann Gottfried Reiche, instrumentiert von Ernest Majo, 1975

Bauer 1975 (Musik für Bläser 1)

208. Weihnachtszyklus für Bläserquartett, 15 Bläsersätze,
1975

Bauer 1977

G. Vokalwerke

209. Deutsches Liederspiel, für Frauen- und Jugendchor sowie
2 Klarinetten, Horn, Fagott und Klavier ad lib., 1972, Ms.

210. Die Ente und der Enterich. Eine allzu menschliche
Tiergeschichte, in Worte und Musik gesetzt von E. M.,
1986, Ms.

211. Ehr und Preis sei dem Gesange (E. Majo), für Männerchor
mit Bläserbegleitung, 1965, Ms.

Dem Sängerkranz Bietigheim gewidmet

212. Eskalation. "Selig sei der Tag, die Stunde" (E. Majo),
     Lied für Sopran und Klavier (Orgel), 1987, Ms.

213. Fünf Lieder, 1944 - 1947, Ms.

1. Das Blümlein (E. Majo), Nantes 1944

2. Armes Herz (E. Majo), in Gefangenschaft 1945

3. Alter Friedhof (H. Claudius), Hildesheim 1945

4. Immer (H. Claudius), Hildesheim 1945

5. Vergessen (s. Heldwein), Hildesheim 1947

Frau Kammersängerin Ruth Siewert-Schnaudt in Verehrung
gewidmet

3. Adagio

Der

Kl. *pp*

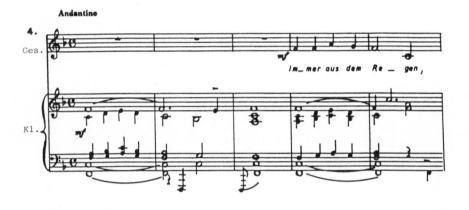

4. Andantino

Ges.

Im_mer aus dem Re _ gen,

Kl. *mf*

5. Andante con rubato

Ges.

Uns hat der Friede ver_ges_ _ sen!

Kl. *ffz ffz* *ffzp*

212

214. Kinderspiele. Kantate für Flöte und Alt-Stimme, 1986, Ms.

215. Sieben Frauenchöre, 1964 - 1977, Ms.

1. Wiegenlied (für Martina)
2. Herbstbeginn
3. Muß i' wandern
4. Ich lad' euch ein, Weinlied
5. Csardas
6. Ich schreit auf grünen Wegen
7. Sommerreigen

216. Trinkspruch, für Männerchor, 1970

Gedruckt in: Ein Berg verändert sein Antlitz. Zum Tuniberg-Richtfest 1970, hg. von Wolfgang Suppan, Tiengen bei Freiburg 1970, S. 24.

217. Vier gemischte Chöre, 1963/64, Ms.

1. Selig der Tag (Trauungschor)

2. Du blauer Fluß (Erinnerung)

3. Tanzlied

4. Singt dem Herrn ein Alleluja

1. **Feierlich**

mf Se_lig sei der Tag die Stunde die von nun an Gott ge_weiht.

2. **Andante**

f Du blauer Fluss im Sü den, tra_ge mei _ ne Sehnsucht mit dir fort.

Akkordion ad lib.

3.

f Es tan zen die Bur schen im Rei __ gen: Dum dum dum dum di_del_dei! Es

tan _ _ zen im Rei _ gen. Dum

4. **Maestoso**

f Glockenklänge rufen al le zum Tag des Herrn; von Fern und nah!

218. Weihnachtszeit, Hymnus (E. Majo), 1986, Ms.

H. Verschiedenes

219. Erste Tanzsuite für Akkordeon, 1970

Helbling/Schweiz 1972

220. Musik für Violoncello und Orchester, 1945, Ms.

221. Orgel-Suite, 1975/76, Ms.

1. Präludium

2. Melodia ostinata, 3. Fuga, 4. Largo cantabile,
5. Meditation, 6. Finale a la Fuga

An Manuskripten bewahrt Ernest Majo zudem auf:

Symphonische Ouvertüre, für großes Orchester, 1940. – „Das symphonische Gebiet betritt Majowski mit seiner ‚symphonischen Ouvertüre‘, einem zweifellos gekonnten Werk mit stark gegensätzlich ausgeprägtem thematischen Profil und recht eigenwilliger harmonischer Farbe. Ein Werk, das aufhorchen läßt." – Undatierter Zeitungsausschnitt, unterzeichnet von W. Heinecke, Harzburg im August 1940. – Sammlung E. Majo.

Musik zu einem Trauerspiel, 1945.

Spiel mit dem Feuer (E. Majo), Operette in drei Akten, 1945.

Zwei Elegien, für Klavier, 1945.

Heimatlied (Alfred Herrmann), für Gesang und Klavier, 1946.

Kleine Serenade, für Oboe und Streicher, o. J.

Soldatenlieder. „... bei einem Preisausschreiben des Verteidigungsministeriums, das unter dem Motto ‚Wir suchen neue Lieder‘ stand. Von den 15 Preisen gewann die Marine die ersten sieben und Preis neun und 14. Erfolgreichster Texter und Komponist war Obermaat Ernest Majowski vom Marine-Musikkorps Kiel-Holtenau mit insgesamt vier Preisen." – Hamburger Abendblatt, 21. 10. 1961.

Campingfreunde, Clublied des Deutschen Camping-Clubs, 1957. – „... mit der Uraufführung des zündenden Marschliedes ‚Campingfreunde‘, einer sehr gelungenen Komposition von Ernest Majo, eröffnet." – Süddeutsche Zeitung, Stuttgart, 27./28. 7. 1957.

Weitere Kompositionen, durch Programm-Zettel oder Zeitungsberichte nachweisbar:

Orchester-Scherzo. „... dieses Werk ist eine der ersten Schöpfungen des jungen Komponisten und ein entschiedener Talentnachweis; ein Werk, mit gewisser Genialität aus dem Handgelenk geschüttelt." – Undatierter Zeitungsausschnitt, unterzeichnet von W. Heinecke, Harzburg im August 1940, Sammlung E. Majo.

Solo für Violoncello und Orchester. „... in jüngster Zeit entstanden; es zeichnet sich aus durch eine hervorragende Kantilenenführung des Soloinstrumentes, die unterbrochen wird durch einen anders gearteten Mittelsatz." – Ebda.

Konzert für Klavier und Orchester. „... harrt das beste und interessanteste Werk des kaum 24jährigen Komponisten noch der Auferstehung im Konzertsaal." – Ebda. – „Eine Uraufführung ... die gestern hier stattfand, brachte zum ersten Male ein neues Werk eines in Hildesheim lebenden Komponisten zu Gehör. Wir haben vor längerer Zeit über die Aufführung von zwei Orchesterwerken von E. Majowski im Stadttheater berichtet, nun lag ein viersätziges Klavierkonzert aus derselben Feder vor. Das neue Werk ist in seinem ersten Satz mehr frei aphoristisch als in streng symphonischer Form gehalten, es bringt eine starke Menge gedanklicher Einfälle und hat den Höhepunkt seiner Gestaltung zunächst noch in dem langsamen Satz..." – Undatierter Zeitungsausschnitt, Hildesheim 1940, Sammlung E. Majo.

Spuk im Ratskeller. „Unter dem Dirigentenstab des Komponisten Ernst Majowski ... wurde im Hildesheimer Stadttheater Betty Krügers Tanzspiel ‚Spuk im Ratskeller‘ uraufgeführt. Die Presse stellte einen schönen Erfolg fest und hob die Vorzüge der Arbeit Majowskis ausführlich hervor." – Undatierter Zeitungsausschnitt, Hildesheim 1940, Sammlung E. Majo.

Walzer-Inspiration. „Man erlebte sogar eine Uraufführung: die ‚Walzer-Inspiration‘ von Ernst Majowski, einem Mitglied unseres Städtischen Orchesters. Von ihm ist schon mehrfach gesprochen worden; dies neue Opus bringt breit angelegte Melodik auf harmonisch zwar moderner, aber immer noch logisch gebundener Grundlage, es ist pianistisch interessant und in diesem Sinne auch dankbar geschrieben. Von Hilde Majowski-Knuth sehr wirkungsvoll gespielt, fand das neue Werk interessierte Zuhörer und viel Beifall." – Undatierter Zeitungsausschnitt, Hildesheim 1940, Sammlung E. Majo.

Drei Lieder. „Abschiedsabend Walter Beißners ... Der Theatersaal in Hildesheim war ausverkauft, als Walter Beißner seinen Abschiedsabend gab. Der beliebte

Tenor geht wieder zur Oper nach Braunschweig... Dazu gab es die Uraufführung dreier Lieder von Ernst Majowski, die dem Sänger und dem Komponisten lebhafte Anerkennung einbrachten." – Undatierter Zeitungsausschnitt, Hildesheim 1946 (?), Sammlung E. Majo.

Tanzkompositionen. „Abschiedsabend Lore Lotter... Aus Kompositionen von Haydn, Bach, Beethoven, Schubert, Scarlatti, Couperin, Chopin, Liszt, Bizet, Tschaikowsky und Walter Niemann, zu denen auch Ernst Majowski von unserem Städtischen Orchester mit geschmackvollen Tanzkompositionen trat, war eine Folge aufgebaut..." – Undatierter Zeitungsausschnitt, unterzeichnet von Heinz Hakemeyer, Hildesheim 1942, Sammlung E. Majo.

Rumpelstilzchen. Märchen von Marga Steiner-Brühl, Musik und musikalische Bearbeitung von Ernst Majowski. Uraufführung Theater der Stadt Hildesheim, Dezember 1946. – Theaterzettel, Sammlung E. Majo.

Das Zaubernetz. Märchenspiel in 6 Bildern von Brigitte Fink, Musik von Ernst Majowski. Uraufführung Theater der Stadt Hildesheim, April 1947. – Theaterzettel, Sammlung E. Majo.

DISKOGRAPHIE

A. Blasorchesterwerke

Bietigheim	Stadtkapelle Bietigheim und Sängerkranz, unter der Leitung des Komponisten. Erste Dokumentation, in Verbindung mit der Internationalen Gesellschaft zur Erforschung und Förderung der Blasmusik. Ton-Studio Bauer, Ludwigsburg.

Bodensee-Walzer
Masurische Impressionen
Deutsche Rhapsodie
Tanzlied
Spielmusiken über Volkslieder

Eisenerz	Stadtmusikkapelle Eisenerz/Steiermark, Leitung: Johann Mühlbacher. Stereo 68 685 Austro Mechana, 1985.

Eisenerzer Festprolog
Le Cascadeur, Marsch

Illinois	Illinois State University Band, Leitung: George P. Foeller. Dritte Dokumentation. Ton-Studio Bauer, Ludwigsburg.

Prologo Sinfonico
Impressionen einer alten Stadt

	Toccatina
	Toccata secunda
	Variationen und Fugato über ein Thema von Wolfgang Amadeus Mozart
Loßburg/1	Klingende Grüße aus Loßburg. Leitung: Karl Lehmann. Hava nagila
Loßburg/2	Blasmusik aus Loßburg. Leitung: Karl Lehmann. Musik der Welt, Suite

Loßburg/1   Klingende Grüße aus Loßburg. Leitung: Karl Lehmann.
Hava nagila

Loßburg/2   Blasmusik aus Loßburg. Leitung: Karl Lehmann.
Musik der Welt, Suite

Niederrimsingen   Trachtenkapelle Niederrimsingen. Leitung: Wolfgang Suppan. Werke von E. Majo. Stereo (1973)
Gustl Birkenmeier-Marsch
Little Boys, Marsch
Schwarze Tannen. Konzert-Walzer

Northridge   California State University Northridge. Wind Ensemble. Leitung: David Whitwell. Compositions for Symphonic Band by Ernest Majo (1985)
Eisenerzer Festprolog
Rußlandia. Sinfonische Skizzen
Serenade fatale „Eine kleine Nachtmusik"
Attila. Symphonische Dichtung
Ouverture Scherzando
Konzert für Alt-Saxophon und Blasorchester
Rhapsodische Sequenzen über B-A-C-H

Oberbillig   Musikverein Oberbillig. Tonstudio Engelsmann, D-4620 Castrop-Rauxel.
König Lear. Symphonische Dichtung
Dandy. Ouvertüre
Der kleine Tambour. Spielmusik
Swanee River
Fiesta Espana
Kalinka

Ostravanka   Orchester Ostravanka, ČSSR. Leitung: Tomáš Hančl. Ton-Studio Bauer, Ludwigsburg.
Sonthofen-Suite. Alpen-Impressionen

Schramberg   Stadtmusik Schramberg. Folklore der Blasmusik. Werke von E. Majo, dirigiert vom Komponisten. TRIAS LPB 10.0002 (1970).
Prinz Eugen
Londonderry Air

Kalinka
Der kleine Tambour
Mississippi-Melodie
Attila

Sonthofen/1   Internationales Jugendmusikfest 1980, Sonthofen/Allgäu.
Musikkapelle Rottweil-Bühlingen. Leitung: G. Singer. Itom
Stereo, D-8033 Krailing.
Präludium

Sonthofen/2   Freude durch Musik. Jugendblasorchester Sonthofen, Lei-
tung: Arthur Engesser
Slawonische Rhapsodie
Gipfelstürmer, Marsch

Sonthofen/3   Klingende Reise. Jugendblasorchester Sonthofen, Leitung:
Arthur Engesser
Rhapsodie française

Sonthofen/4   Jugendblasorchester der ehemaligen Sonthofener, Leitung:
Arthur Engesser
Balkanfieber

Sonthofen/5   Konzert für alle. Jugendblasorchester Sonthofen, Leitung:
Arthur Engesser. Iton Stereo
Hava nagila

Sonthofen/6   Vom Allgäu in die weite Welt. Jugendblasorchester Sonthofen, Leitung: Arthur Engesser. Iton Stereo (1976)
Schwabenexpreß

Staufen   Festmusik zum Ersten Internationalen Jugendkapellentreffen
in Staufen/Breisgau 1969. Christophorus-Schallplatte,
SCGLS 76 021
Toccata secunda. Knabenkapelle Meersburg
Leitung: Toni Haile

Stuttgart   Das kleine Platzkonzert. Ein Stuttgarter Blasorchester unter
der Leitung des Komponisten. Cortina-Records (1962). MC
8201
Pariser Romanze
Erste Deutsche Rhapsodie

Tokio   Music for Symphonic Band. M. S. C. F. Band of Tokyo.
Commander Saburo Yamaha. Works by Ernest Majo. Stereo
GB 6 (1978)
Triptychon

Concertino fugato
Konzert für Oboe und Blasorchester, Solist: Akio Shimizu
Spektakulum Nr. 2

Wolfach Musik der Welt. Originale Blasmusik (von) Ernest Majo. Die
Stadtkapelle Wolfach/Schwarzwald unter der Leitung des
Komponisten
March of Westminster
Schwäbische Geschichten, Walzer
Rhapsodie française
Toccata prima
Musik der Welt, Suite
Hava nagila
Zirkuspremiere. Ouvertüre

B. Bläserkammermusik, Orgelwerke, Kantaten und Lieder

(a) Weihnachten im Lied, mit den Trierer Sängerknaben sowie mit dem Bläser-
und Instrumentalkreis Trier. Verlag Schellenberg, Trier 1974. Leitung: Bruder
Basilius Wollscheid. Ton-Studio Bauer, Ludwigsburg. Zweite Dokumentation.
 Lied- und Instrumentalsätze von Ernest Majo

(b) Slokar Posaunenquartett. Virtuose Musik für vier Posaunen. SPQ 41 (1 S 30).
Musikverlag Marc Reift, CH-8126 Zumikon.
 Fünf Miniaturen

(c) Bläserkammermusik sowie Musik für Flöte und Harfe. Das Philharmonische
Bläserquintett Graz. Ilse Maier (Flöte), Jasmin Eick (Harfe), Ton-Studio Bauer,
Ludwigsburg, Nr. 67 814 A/B.
 Suite per quattro, 1958
 Trio für 2 Klarinetten und Fagott, 1956
 Trifolium für Flöte und Harfe, 1986
 Chaconne für Flöte solo, 1986
 Kanzonette über ein japanisches Volkslied für Flöte und Harfe, 1986

(d) Kompositionen für Flöte und Orgel. An der Münsterorgel zu Rottweil am
Neckar. Peter Strasser (Orgel), Anne M. Ohl (Flöte). Ton-Studio Bauer, Lud-
wigsburg, Nr. 67 980 A/B.
 Orgelsuite 1975/76
 Impressionen für Flöte und Orgel, 1984
 Chaconne für Flöte solo, 1986
 Lobgesang. Präludium über „Nun danket alle Gott", 1974

(e) Zwei heitere Kantaten. Ernste Lieder. Isolde Rebmann (Sopran), Annetraud Flitz (Alt), Ilse Maier (Flöte), Edgar Schwoll (Klarinette), Siegfried Müller-Murrhardt (Klavier). Ton-Studio Bauer, Ludwigsburg, Nr. 67 967 A/B.

Kinderspiele. Kantate für Flöte und Alt-Stimme, 1986.

Die Ente und der Enterich. Eine allzu menschliche Tiergeschichte für Mezzo-Sopran und Klarinette, 1986

Fünf Lieder, 1944–47

Kanzonette über ein japanisches Volkslied für Flöte und Klavier, 1986

Eskalation: Selig sei der Tag, die Stunde (Majo) für Sopran und Klavier, 1987

LITERATUR

anon., Artikel *Ernest Majo*, in: Helbling-Werbebroschüre, Innsbruck o. J. (um 1970).

anon., Artikel *Majo*, in: Tonkünstlerfest Baden-Württemberg 86/87. Landesmusikrat Baden-Württemberg. Programmbuch, Karlsruhe 1986, S. 611.

Heinz GALLIST, *Auf einer Stufe mit der Avantgarde. Lebendige Zeitgeschichte: Ein Porträt des „Blasmusikprofessors" Ernest Majo*, in: Die Neckarquelle. Kultur in der Region, Nr. 268 vom 21. November 1986.

Harald HEILMANN, *Ernest Majo-Majowski zum 70. Geburtstag*, Verlagsprospekt Willy Müller, Süddeutscher Musikverlag, Heidelberg (1986).

Micha HOIS, *Ernest Majo – Weltreisender in Sachen Blasmusik,* in: Bayerische Blasmusik 36, Nr. 12, 1985, S. 7f.

Francis PIETERS, *Ernest Majo*, in: Fedekamnieuws 26, 1981, S. 444f.

Wolfgang SUPPAN, *Das Porträt: Ernest Majo*, in: Allgemeine Volksmusik-Zeitung 17, 1967, S. 234f.; dass. in: Österreichische Blasmusik 18, 1970, H. 4, S. 7, und H. 5, S. 4.

ders., *Lexikon des Blasmusikwesens,* 1. Aufl., Freiburg im Breisgau 1973, S. 225f.; 2. Aufl., ebda. 1976, S. 239f.

ders., *Analyse einer Blasmusikkomposition. „Rhapsodische Sequenzen über B-A-C-H" – ein Majo-Werk zum Bach-Jahr,* in: Österreichische Blasmusik 33, H. 5, 1985, S. 5–7; dass. in: Die Blasmusik 35, 1985, S. 162–164.

Fritz THELEN, *Ernest Majo,* in: Der deutsche Volksmusiker 14, 1962, S. 44; dass. in: Die Bayerische Volksmusik 13, 1962, S. 13.

ders., *Ernest Majo – 70 Jahre,* in: Österreichische Blasmusik 34, H. 7, 1986, S. 3; dass. in: Die Blasmusik 36, 1986, S. 231f.

ders., *Wegbereiter und Hüter reiner Blasmusik. Komponist Ernest Majo wird 70 Jahre alt,* in: Schwarzwälder Bote, 23./24. August 1986.

226